Actitud de Excelencia

Cómo las mejores organizaciones obtienen lo mejor de los mejores

Actitud de Excelencia

Cómo las mejores organizaciones

obtienen lo mejor de los mejores

WILLIE JOLLEY

TALLER DEL ÉXITO

CONTENIDO

CITA DE RECOMENDACIÓN DEL DOCTOR STEPHEN R. COVEY:

"¡Este es un libro fantástico, inspirador y motivante!". Al leerlo, encontrará que está vinculado con ejemplos prácticos y convincentes. Le sugerirá cómo elegir el éxito y la excelencia, le mostrará que el cambio y la mejora constantes se pueden convertir en sus aliados en vez de ser enemigos implacables. Este libro también le enseñará cómo elegir el equipo de colaboradores correcto, la forma en que podrá obtener el mejor provecho de las fortalezas de los miembros de ese equipo y cómo convertir en irrelevantes las debilidades gracias a esas fortalezas de sus colaboradores; así mismo, a través de esta obra aprenderá que entrelazar el desarrollo personal, organizacional y cultural es un asunto vital para alcanzar objetivos.

¡Qué lectura tan constructiva e iluminadora! Se puede "escuchar" y "sentir" a Willie enseñándonos e ilustrándonos.

—Stephen R. Covey, autor de *Los 7 hábitos de la gente altamente efectiva*, y *El octavo hábito: De la efectividad a la grandeza*.

INTRODUCCIÓN

La excelencia se alcanza cuando...

Uno se interesa más de lo que otros piensan que alguien debería interesarse, cuando uno arriesga más de lo que otros piensan que se debe arriesgar, cuando uno sueña más de lo que otros creen que es práctico soñar, y espera más de lo que otros piensan que es posible esperar.

—Anónimo

Finalmente, amados, cuantas cosas sean verdaderas, cuantas sean honorables, cuantas sean justas, cuantas sean puras, cuantas sean agradables, cuantas sean de buena reputación, si hay algo excelente o algo digno de alabanza, continúen considerando estas cosas.

—Filipenses 4:8

"Actitud de excelencia" —este concepto me cautivó desde el primer momento en que lo escribí en mi cuaderno de ideas. Mientras más observaba la sencilla combinación de palabras, más me impresionaba el hecho de que este concepto asocia dos términos que se usan ampliamente de forma individual para expresar comportamientos que la gran mayoría de nosotros queremos desarrollar, pero que en realidad no procuramos con la intensidad necesaria. Con frecuencia hablamos sobre cómo "la actitud determina la altitud"; sin embargo, muchos de nosotros hacemos muy poco para fortalecer nuestro "músculo de la actitud". De la misma forma, escuchamos que la gente habla de la excelencia, pero a menudo sentimos que esta cualidad nos evade.

Así pues, este libro se escribió con el fin de ayudar a desarrollar un nuevo enfoque para alcanzar la excelencia, suministra un nuevo concepto para estimular el músculo de la actitud y una nueva manera de crear una cultura de excelencia para su organización; ello se logra, inicialmente, generando una nueva actitud hacia usted mismo: ¡La actitud de la excelencia!

Por ello, la actitud de excelencia tiene dos objetivos principales:

1. Ayudar a las organizaciones a crear una cultura de excelencia que incremente su desempeño y las ganancias.

2. Ayudar a las personas a lograr mayor éxito personal, tanto en su vida laboral como en su vida personal.

Además, este libro se compone de dos partes, de hecho, es como si se tratara de dos libros combinados en uno, la primera de ellas se titula "La voluntad de ganar: Cómo desarrollar una cultura de excelencia", y consiste en una guía para el desarrollo organizacional que se enfoca en los pasos necesarios para crear una cultura de excelencia; en estos capítulos nos concentraremos en los aspectos que le pueden servir a una organización para lograr la excelencia, mejorar el desempeño y, por supuesto, la productividad.

La segunda parte, "Desarrollo personal: Cinco claves para lograr un éxito de cinco estrellas", se concentra en los aspectos que hacen que un individuo, dentro de una organización, se convierta en un participante mucho más activo dentro del equipo ganador. Si las personas que hacen parte de una organización pueden mejorar su nivel individual y logran expresar esa mejora en sus actividades diarias, entonces las organizaciones de las que forman parte pueden empezar a ver avances rápidamente gracias a la sinergia y a la oportunidad del momento. En los capítulos de esta segunda parte compartiremos las claves que han hecho grandes a ciertas organizaciones y que hemos aprendido trabajando alrededor del mundo con empresas de gran influencia en el sector de la informática, de la hotelería, de los seguros, de los supermercados y las comunicaciones; tales claves se explican en forma de "pasos sencillos" que se pueden implementar de manera rápida tanto en la vida profesional como en la personal.

Por otro lado, este libro les ofrece a las personas que forman parte de las organizaciones una nueva perspectiva sobre el impacto que pueden tener en el éxito de su empresa a largo plazo; también les ayudará a posicionarse más adelante dentro de la fuerza laboral, incluso en tiempos difíciles y exigentes; además, orienta a las organizaciones no sólo a sobrevivir sino también a prosperar en épocas de dificultad económica. Nuestra meta es que el lector pueda prosperar y lograr en el futuro más de lo que ha conseguido en el pasado. En pocas palabras, nuestra intensión es ayudarle a crear un mañana más satisfactorio mientras obtiene más recursos, empezando desde este mismo instante.

Así pues, emprendamos nuestro camino hacia la ¡Actitud de Excelencia!

LA VOLUNTAD DE GANAR: CÓMO DESARROLLAR UNA CULTURA DE EXCELENCIA

1

EL CAMINO A LA EXCELENCIA

*Si un hombre ha de dedicarse a barrer las calles,
deberá barrer las calles de la misma manera como
Miguel Ángel pintaba, como Beethoven componía
música o como Shakespeare escribía poesía. Deberá
barrer tan bien las calles que todos los observadores
del cielo y de la tierra se detengan y digan:
"¡Aquí estuvo un gran barrendero de calles
que hizo muy bien su trabajo!".*

—Martin Luther King Jr.

La palabra "excelencia" se utiliza con mucha frecuencia, no obstante, su cualidad muy raramente se alcanza. El diccionario *Webster's* define excelencia como "aquello que es lo mejor y de la calidad más excelsa; aquello que es superior, sobresaliente y de primera clase", esto implica caminar la milla extra e ir más allá del sentido del deber. Por lo tanto, la excelencia es una cualidad que debe ser cultivada. Nosotros insistimos en que la excelencia no es sólo una cualidad sino una actitud que nos impulsa a hacer más, a ser más y a lograr más.

Aristóteles afirmó: "Resultamos siendo aquello que hacemos repetidamente. La excelencia, por lo tanto, no es un acto, sino más bien, un hábito". Así pues, nuestro deseo es ayudarle a hacer de la excelencia un hábito, en vez de que se convierta en algo que ocurre muy de vez en cuando.

EL DESARROLLO DE UNA CULTURA DE EXCELENCIA: CÓMO CREAR UNA ORGANIZACIÓN DE CINCO ESTRELLAS

¿Alguna vez ha estado en un *resort*, en un hotel o en un restaurante de cinco estrellas? Si así es, ¿Cómo se sintió allí? ¿se sintió a gusto? ¿se sintió especial o importante? ¿experimentó el deseo de regresar a ese lugar? ¿aquella situación lo llevó a preguntarse por la clase de personas que pueden pagarse ese estilo de vida y a cuestionarse sobre qué se sentiría disfrutar todo el tiempo de un entorno así? Esa es la clave del éxito del sistema cinco estrellas y de eso es que se trata este libro.

Alcanzar un éxito de cinco estrellas significa obrar en un entorno de excelencia. La gente va a los *resorts*, se hospeda en hoteles de lujo y come en restaurantes cinco estrellas porque estos lugares ofrecen lo mejor de lo mejor. A lo largo de nuestra experiencia hemos podido establecer cinco claves que le pueden ayudar a alcanzar un éxito de cinco estrellas no sólo en su negocio u organización, así también en su vida personal. Mencionaremos dichas claves a continuación y más adelante nos referiremos a los detalles concretos de cada una.

La Clave No. 1 de la Actitud de excelencia: El desarrollo del liderazgo dinámico

Produzca líderes en todos los niveles de su organización. Las empresas cinco estrellas reconocen lo positivo que resulta desarrollar líderes en todos los niveles de gestión y de potencializar a sus empleados para hacer lo que sea posible con el fin de servir a sus clientes. Las organizaciones de éxito reconocen que antes de poder dirigir a muchos se debe estar en capacidad de dirigir a un solo individuo, ¡a usted mismo!

La Clave No. 2 de la Actitud de excelencia: Gestión proactiva de cambio

Reconozca que el cambio es un aliado, no un enemigo, y desarrolle habilidades para gestionarlo. Al acoger los componentes del cambio, el desafío y las opciones dadas, puede aprender a tener éxito y no sólo a "IR" a través de los cambios, sino a "CRECER" mediante ellos.

La Clave No. 3 de la Actitud de excelencia: Trabajo centrado en el equipo

Benefíciese del trabajo en equipo. Quienes piensan como un equipo y trabajan unidos como tal, son quienes ganan en equipo. Tenga siempre presente que en los grandes equipos sus miembros se cuidan mutuamente, se respaldan unos a otros y se animan unos a otros. Todo el mundo es un IAV (Integrante Altamente Valorado), y esto es cierto porque la cadena es tan fuerte como lo sea su eslabón más débil.

La Clave No. 4 de la Actitud de excelencia: Sorprender con excelente servicio al cliente

Impresione al cliente con un excelente servicio y su negocio crecerá. A medida que usted capacite a su personal, este aumentará su potencial para proveer un mejor servicio. La gente competente tiende a ofrecer un excelente servicio. Recuerde que los mejores líderes siempre son óptimos servidores.

La Clave No. 5 de la Actitud de excelencia:
Desarrolle una actitud de clase mundial

Promueva una actitud positiva y un punto de vista positivo. Aprenda a reconocer que cuando su actitud es excelente, el cambio también lo es. Una vez que todo esté dicho, ¡todo es cuestión de actitud!

LA INFLUENCIA DE LA ACTITUD, LA APTITUD Y EL APETITO

Permítame hacerle un par de preguntas: "¿Usted desea ganar? ¿realmente desea ganar?". Hago estos interrogantes al inicio de mis presentaciones y siempre obtengo la respuesta: "¡Sí, en serio, quiero ganar!". Y aunque estoy convencido de que la gente quiere ganar, entonces las preguntas verdaderamente importantes son: "¿Con cuánta vehemencia desea usted ganar? ¿está dispuesto a hacer lo incómodo para ganar? ¿a extender sus alcances? ¿a hacer cosas diferentes y de forma diferente? ¿a cambiar de modo que pueda triunfar?". El concepto de desear verdaderamente ganar es una de las principales premisas para crear una Actitud de Excelencia.

Bill Russell, legendaria estrella de los *Celtics* de Boston, es un ejemplo de alguien que aprendió la clave del éxito. Fue quien condujo a su equipo a obtener muchas victorias y la persona que ganó durante cinco temporadas el premio al mejor jugador de la Asociación Nacional de Baloncesto (NBA), además fue una gran estrella durante doce temporadas; este caballero creó una cultura de excelencia en todos los sitios donde jugó, pasó de ganar el campeonato en su último año de universidad a liderar la victoria de los Celtas en once temporadas durante trece años, siendo ese el mayor número de campeonatos ganados por un equipo en la historia de la NBA.

Pero lo que más sorprende de Bill Russell no es que se hubiera constituido en un anotador prolífico, sino que fue un jugador que concentró su energía en crear una cultura ganadora; Russell decía que el asunto no se trataba tanto de anotar, ¡sino de ganar! En su libro Las reglas de Russell (NAL Trade, 2002), escribió: "Todo el mundo puede ganar, pero se requiere de un trabajo en equipo. También tienes que agregar tres ingredientes... ¡Actitud, aptitud y apetito!".

De modo que para poder ganar uno debe desarrollar la *actitud* del ganador, así como su aptitud y su apetito. En otras palabras, usted deberá tener una Actitud de excelencia con respecto a sí mismo y también con respecto a su equipo.

¿DESEA LOGRAR MÁS EN EL FUTURO?

¿Desea lograr más en el futuro de lo que ha logrado en el pasado? ¿desea ser más en el futuro de lo que ha sido en el pasado? Si su respuesta a estas preguntas es afirmativa, lo invito a que siga leyendo. No obstante, si su respuesta fue negativa, de todos modos siga adelante con la lectura. Estoy completamente seguro de que tendrá una nueva perspectiva en las próximas páginas, lo cual hará que cambie su forma de pensar para el resto de su vida.

Los tiempos actuales son de competencia sin cuartel y los cambios se producen en nanosegundos, también son épocas de gran incertidumbre económica. Hoy en día se habla mucho de la importancia del "posicionamiento", un concepto popular que se utiliza para indicar cómo debe ubicarse la gente en la mente de otros, lo anterior nos lleva a crear un sello personal de excelencia.

Por ello, es importante enfocarnos en crear una reputación o marca de excelencia, pues esta es una de las claves de quienes logran el éxito en la vida y en los negocios.

Ya la historia se ha encargado de ofrecernos muchos ejemplos de personas y organizaciones que alcanzaron un éxito rápido, pero no lograron mantenerlo porque no hicieron un compromiso con la excelencia, sino que más bien estuvieron dispuestas a tomar atajos que resultaron ser desacertados.

Por ejemplo, en los últimos años hemos escuchado un suceso tras otro sobre el tema de las reestructuraciones, las reducciones o la reingeniería y así por el estilo, muchos de estos procesos involucran a personas que estaban a punto de pensionarse luego de años de servicio dedicados a una compañía, pero debido a circunstancias fuera de su control, perdieron el empleo.

Entonces, en el actual y cambiante mercado laboral, debemos ir tras la excelencia sobre una base diaria porque no hay seguridad con respecto al empleo. Nadie puede garantizar que va a permanecer contratado o que va a mantenerse en su posición actual, porque puede ocurrir un cambio repentino en la dirección de la compañía o de la economía que afecte la seguridad laboral. Existen numerosos escenarios, más allá de nuestro control, que pueden impactar la estabilidad laboral. No obstante, usted puede aumentar su seguridad laboral desarrollando la reputación de la excelencia. Los empleadores siempre están buscando a individuos con talento o con deseos de aprender y esperan encontrar personas que demuestren excelencia y que estén disponibles, pues mientras no exista tal cosa llamada seguridad laboral, la excelencia es la mejor opción en un mercado exigente y cambiante.

Yo no había logrado entender plenamente el significado de este fenómeno hasta que me hice mayor y vi ejemplos de personas que siempre parecían estar en demanda, incluso cuando otros estaban perdiendo sus empleos. Una amiga que había trabajado para una compañía por una buena cantidad de años estaba preocupada por sus perspectivas laborales cuando el dueño de la compañía decidió retirarse y cerrar el negocio; ella pensó que pasaría dificultades para encontrar otro empleo, pues ya era una persona con trayectoria y la mayor parte de la fuerza laboral en su campo se componía de personas jóvenes; sin embargo, tan pronto como se dio a conocer que su empresa estaba cerrando, se vio bombardeada por ofertas procedentes de compañías que conocían su reputación de excelencia, de modo que querían tenerla a ella en su equipo.

Situaciones como la anterior también pueden ocurrir en otras áreas, especialmente en el campo de los deportes. Imagine por un momento que, luego de ganar varios campeonatos de baloncesto en los años recientes, los Lakers de Los Ángeles fueran comprados por un nuevo grupo con nuevas directivas, suponga que estos nuevos dueños decidieran que quieren empezar por renovar al grupo de jugadores y entrenadores, de modo que despiden al entrenador, Phil Jackson, y a la estrella del equipo, Kobe Bryant. ¿Cuánto tiempo cree usted que tardarían estos dos personajes en conseguir un nuevo empleo? ¡Un nanosegundo! ¿Por qué? Porque ambos han cultivado una reputación de excelencia.

Hoy en día, existen excelentes trabajadores que por circunstancias económicas fuera de su control han perdido sus trabajos. Compañías como las tiendas por departamentos o empresas financieras perdieron participación en el mercado y despidieron a sus trabajadores o cerraron completamente sus establecimientos. Sin duda, los trabajadores que desarrollaron una reputación de excelencia fueron los primeros en ser contratados por otras compañías. Y ¿por qué sucede esto? Porque los empleadores siempre están buscando el talento e identificando a las personas que tienen una reputación de excelencia.

La clave, sin embargo, es desarrollar una reputación de excelencia antes de valerse de ella. Es como dice el viejo refrán: "Es mejor cavar el pozo antes de tener sed".

UNA REPUTACIÓN DE EXCELENCIA

Junto con Biddy, mi amiga de la infancia, iniciamos nuestra carrera universitaria en la *American University* de Washington, D.C. En su segundo año de estudios, Biddy se casó, dejó la universidad y comenzó a trabajar con el gobierno federal como empleada auxiliar; su trabajo consistía en contestar el teléfono y sacar fotocopias de los manuales de procedimiento. Ella hacía su trabajo con tal entusiasmo que en poco tiempo se convirtió en un gran éxito en la oficina, por ejemplo, contestaba el teléfono diciendo: "¡Hoy es un gran día! ¿En qué le puedo ayudar?". Y continuaba respondiendo llamadas con ese mismo entusiasmo desde las nueve de la mañana hasta las cinco de la tarde, e incluso después, cuando llegaba la hora de esperar a su esposo, Dexter, quien venía a recogerla. Hasta trabajaba una hora extra todos los días. Nunca miraba el reloj y siempre se enfocaba en la tarea que debía realizar.

Cuando a Biddy se le pedía que sacara fotocopias, hacía tan bien su trabajo que muchos en la oficina pensaban que las mismas eran originales hechos en una imprenta; en ocasiones, al fotocopiar los manuales de entrenamiento, hacía una copia extra para poder leer en la noche, así podía diligenciar una lista de posibles mejoras para compartirlas con el supervisor. Biddy siempre decía: "Si encuentras que mis observaciones tienen sentido siéntete libre de utilizarlas; si no, tranquilo, puedes tirarlas a la basura". Ella disfrutaba tanto de su trabajo, que con frecuencia hablaba de regresar a la universidad para finalizar su carrera tan pronto su esposo y ella pudieran ajustar el presupuesto para lograrlo.

Pronto Biddy fue transferida de su cargo de auxiliar (GS–2) a la posición de administradora (GS–7), hecho que ocurrió antes del embarazo de su primer hijo. Una vez regresó de su licencia de maternidad, continuó demostrando el mismo espíritu de excelencia, seguía respondiendo el teléfono con entusiasmo, y lo hacía aún en horas no laborales, siguió sacando fotocopias tan precisas que sorprendía al personal, y continuaba haciendo una copia para sí misma con el fin de anotar ideas que ella consideraba útiles para el equipo de trabajo. En ese tiempo Biddy fue trasladada de la posición GS–7 a la GS–9, y estando en esta nueva posición, quedó embarazada por segunda vez.

Sin embargo, en esta ocasión, tener a dos niños bajo cuidado infantil era un costo que Biddy no podía sostener. Su esposo, Dexter, le propuso que sería mucho más práctico si ella se quedaba en casa y así fue durante algunos años; pero una vez los niños tuvieron edad escolar, empezó a averiguar cómo podía regresar al trabajo. Activar de nuevo su vacante fue todo un desafío, el único cargo disponible que encontró fue el de auxiliar (GS–2), es decir, contestar teléfonos y hacer fotocopias de los manuales de procedimientos, la misma posición en la cual había iniciado años antes. Sobra decir que Biddy aceptó el trabajo y lo emprendió con el mismo entusiasmo y la misma ética de antes.

Cierto día, al responder una llamada telefónica, escuchó al otro lado de la línea una voz que no había oído en años, se trataba del primer supervisor que ella había tenido. Él explicó que nunca había olvidado el impacto de su actitud positiva, también le dijo que había elogiado ante otros su actitud de excelencia y el hecho de haberse convertido durante años en un modelo para mencionar ante sus nuevos empleados; le explicó que era el nuevo director de una agencia y que estaba buscando a una asistente capacitada. Le preguntó si ella estaría dispuesta a dejar su posición actual para irse a trabajar con él. Por supuesto, aquello significaba un aumento de sueldo que sobrepasaba las dimensiones del periodo de congelamiento de su trabajo. Adicional a esto, ella tendría bajo su supervisión a un grupo de personas. Biddy sonrió un poco nerviosa y preguntó: "Disculpe señor... y, ¿cuándo empiezo?".

Ella aceptó el trabajo y fue excelente en el puesto. Allí, continuó corriendo la milla extra. Cuando otros no contestaban pronto el teléfono, Biddy lo hacía con su estilo particular: "¡Hoy es un gran día! ¿En qué le puedo ayudar?".

Actualmente, Biddy continúa demostrando que la excelencia es, en realidad, la mejor garantía de empleo y una estrategia de avanzada. Ella es la actual directora de políticas y programas del Departamento de Energía, y continúa buscando la excelencia con intensidad; además, es una persona que escucha ofertas de empleo todas las semanas. Para citar sólo un ejemplo, hace poco tuve la oportunidad de hablar ante una audiencia de una agencia del gobierno donde ella había trabajado, cuando mencioné su nombre, el personal se desbordó en elogios sobre su exitosa gestión, comentó cómo su entusiasmo por la excelencia se había replicado en toda la organización y nadie dejó de mencionar su ¡actitud de excelencia!

A propósito, cuando su primer hijo se graduó de la universidad, ella también lo hizo. Biddy encontró la manera de regresar a las aulas mientras trabajaba y criaba a sus dos hijos. Cuando le pregunté a Biddy sobre la clave de su éxito, me dijo: "Aprendí que la excelencia no saca excusas sino que se concentra en hacer que el trabajo sea realizado, y esto es cierto aún en situaciones que implican desafío. No hay sustituto para la excelencia. Es la mejor garantía de empleo".

2

LA CLAVE No. 1 DE LA ACTITUD DE EXCELENCIA: EL DESARROLLO DEL LIDERAZGO DINÁMICO

Produzca líderes en todos los niveles de su organización. Las empresas cinco estrellas reconocen lo positivo que resulta desarrollar líderes en todos los niveles de gestión y de potencializar a sus empleados para hacer lo que sea posible con el fin de servir a sus clientes. Las organizaciones de éxito reconocen que antes de poder dirigir a muchos, se debe estar en capacidad de dirigir a un solo individuo, ¡a usted mismo!

¿Por qué algunas organizaciones logran destacarse por encima de la competencia? ¿por qué algunas alcanzan un estatus de cinco estrellas mientras que otras no? Las empresas y organizaciones de segundo nivel trabajan muy duro, pero el éxito de cinco estrellas los esquiva. Me sentí muy intrigado por este dilema, de modo que me propuse encontrar las respuestas.

Así que contacté organizaciones cinco estrellas y entrevisté a sus líderes. Descubrí que todas estas compañías tienen entornos similares y habían desarrollado una cultura que inspiraba una actitud de excelencia. Y dado que recibo invitaciones para hablar en organizaciones de excelencia en todo el mundo, he estado en condiciones de observar, investigar y reunir información con respecto a los principios que separan a las grandes compañías de sus competidores menos afortunados.

La búsqueda de la excelencia fue la principal constante que hallé tanto en la vida personal como profesional de las personas que componen estas organizaciones exitosas. Esto me conduce a mi primer punto, el que con frecuencia se suele pasar por alto cuando de alcanzar el éxito se trata: Las mejores compañías siempre deciden contratar a individuos capacitados y estimulan en ellos el desarrollar de las cualidades de líderes de excelencia en todos los niveles de la organización. Los grandes equipos deportivos siempre intentan contratar, adquirir y llevar al campo de juego a los mejores jugadores, y lo mismo se aplica en los grandes negocios. Ellos saben que la gente excelente es la clave para construir organizaciones sobresalientes.

¿CONTRATAR, ADQUIRIR O DESARROLLAR?

Recientemente fui invitado a dar el discurso de conclusión en una conferencia internacional de liderazgo, en una reconocida multinacional de computadores. Asistí al evento un día antes para poder escuchar a otros presentadores que también habían sido invitados, pues proponían algunos puntos muy interesantes que yo quería conocer. La noche anterior a mi discurso, tuve una cena con el director del programa, en esa cita aproveché para expresarle que estaba asombrado con el evento que habían organizado y agradecí por estar incluido en la selección de oradores; además, le dije que estaba intrigado en saber por qué su compañía había gastado tanto dinero en esta reunión y por qué había hecho semejante inversión para un reducido grupo de personas, aproximadamente trescientos de sus gerentes más importantes.

En respuesta recibí un argumento muy válido relacionado con los principios del éxito: "Queremos ser los mejores del mundo en todo lo que hacemos. Queremos ser líderes en nuestro campo, y para lograr ser los mejores, debemos tener a las mejores personas. ¡Y si no las podemos *contratar*, entonces tenemos que *producirlas!*".

Todo lo que yo pude decir fue: "¡Genial!". Se trató de un momento de absoluto acuerdo porque aquello puso sobre el tapete uno de los secretos mejor guardados de las compañías o empresas exitosas: Las compañías cinco estrellas siempre inician con personas cinco estrellas o procuran contratarlas, adquirirlas o desarrollarlas; si no las pueden contratar, entonces toman excelente materia prima y la convierten en diamante. El secreto está en que estas compañías deciden conseguir el mejor personal con el fin de obtener los mejores resultados.

Las empresas líderes invierten de forma constante y consistente en el crecimiento y desarrollo de su fuerza laboral. Saben que si quieren aumentar las ganancias, primero deben hacer que su personal crezca. La mejor forma de proyectarse hacia el futuro es crecer a nivel personal. La mejor forma de crecer como organización es hacer que su personal se desarrolle. Las organizaciones más sobresalientes se comprometen a promover el desarrollo de su personal, y esto es así porque entienden que existe una correlación entre el éxito de sus empleados y el éxito de la organización.

DAR ÁNIMO Y SU IMPACTO EN LAS GANANCIAS

Mientras preparaba un programa para la Sociedad de Gerentes de Recursos Humanos, tuve la oportunidad de entrevistar a un buen número de importantes directores de esta área, procedentes de diferentes partes del mundo; le pregunté a cada uno de ellos sobre cuál era la clave para crear empleados felices y productivos. La información que recibí como respuesta resultó ser de un valor incalculable.

Ellos me dijeron que entre más se estimule a los empleados a lograr lo mejor, más se anima su moral y aumenta su productividad. Entre más se motive a los empleados para que se puedan comunicar abiertamente y con franqueza, también se multiplica su productividad.

Del mismo modo, las compañías que encuentran o desarrollan el buen talento están más dispuestas a trabajar con sus empleados más apreciados y a mantenerlos vinculados aun si la vida de estos cambia y necesitan ser reubicados en otras ciudades. Muchas compañías buscan maneras de involucrar nuevas tecnologías para mantener conectados a los empleados con el equipo. Por ejemplo, un gerente lo expresó de la siguiente manera: "Todo el mundo enfrenta obstáculos en la vida. Si logras desbloquear tu mente, pensar en grande y de forma diferente, estás en condiciones de abrir excelentes posibilidades de productividad y de crecimiento, y esto será cierto tanto para la compañía como para el individuo". La mayoría de los gerentes que entrevisté dijeron que estaban dispuestos a crear formas de mantener a los buenos integrantes del equipo, incluso si estos tuvieran que cambiar de ciudad.

Adicional a ello, las organizaciones que están dispuestas a pensar y a actuar de forma diferente pueden motivar a sus empleados a que se conviertan en los mejores vehículos de promoción para agregar nuevo talento a las mismas. Los empleados felices y motivados están en mejores condiciones de informar sobre dicha situación a sus amigos y, por ende, se convierten en imanes que atraen a gente de gran calidad a la organización.

La empresa Southwest Airlines es un gran ejemplo de este tipo de pensamiento diferente, ellos consideran que su personal es su bien más preciado, su prioridad, y lo definen como "el primer modelo de servicio que se centra en el hecho de que los empleados felices tienden a servir a los clientes con una felicidad mayor". Herb Kelleher, el fundador de Southwest Airlines, dijo en una entrevista:

"Cualquiera pude comprar un avión, no obstante, nuestro personal es el que hace que nuestra aerolínea sea un éxito. Consiste en darles una experiencia. Yo quiero que mis clientes salgan con una sonrisa en sus rostros y que comuniquen esa sonrisa a todas las personas con las que se encuentren ese día. Este es el secreto… todos nuestros competidores pueden comprar aviones, pero es más bien la experiencia que nuestros asociados dan a los clientes lo que nuestros competidores encuentran difícil de imitar". (Revista Spirit, junio de 2009).

La libertad para atender a los clientes y divertirse en el proceso es lo que le permite a los asociados de *Southwest Airlines* cantar, hacer bromas y hasta subirse al portaequipaje y decir "¡Sorpresa!", cuando este se abre. Esta es la gente que hace que la organización funcione.

Por su parte, los hoteles y *resorts* Marriot, así como los hoteles y *resorts* Ritz–Carlton, continúan aumentando su participación en el mercado mientras mejoran las vidas de las personas que trabajan allí. Ellos saben que los asociados felices y entusiasmados tienden a compartir esa felicidad y entusiasmo con los clientes, y también a proveer un mejor servicio. Estos dos gigantes de la hotelería de lujo realizan encuestas con bastante frecuencia, una de ellas es para determinar los niveles de satisfacción de los clientes, y la otra, para establecer el nivel de satisfacción de sus asociados. A propósito, las personas que trabajan en Marriot y Ritz–Carlton no son consideradas "empleadas" sino como "asociadas," esto significa que son socias en hacer que el hotel sea un éxito.

CONTÁGIESE DE LA ACTITUD DE EXCELENCIA

La excelencia consiste en comprometerse a hacer lo que es correcto, en el momento correcto, de la forma correcta; es hacer las cosas de una manera mejor a como siempre se han hecho; es eliminar los errores; es conocer todos los lados de un asunto; es ser cortés; es ser un ejemplo; es trabajar por el amor al trabajo; es anticiparse a las solicitudes; es desarrollar recursos; es reconocer que no existen impedimentos; es dominar las circunstancias; es actuar desde la razón más que desde la norma; es conformarse con nada menos que lo mejor de nosotros.

—Marshall Field & Company

Si nuestra meta es crear una cultura de excelencia debemos captar lo que significa tener "Actitud de excelencia". Es esencial empezar conociendo la visión de la organización. Es muy posible alcanzar las metas que otros consideran imposibles cuando los empleados captan la visión de la compañía y van en pos de ella con una actitud de excelencia.

Pero para que un equipo de trabajo se conecte con la visión de la empresa, alguien tiene que venderle primero la esencia de esa visión de la empresa. Y antes de que usted pueda hacer eso, tendrá que haberse vendido primero esa visión a usted mismo.

Es por ello que las organizaciones de vanguardia tienen muy bien establecida la meta que quieren alcanzar, así comparten y articulan esa visión con la totalidad de los miembros de la empresa, además contagian de emoción y entusiasmo a sus colaboradores. Las organizaciones de vanguardia hacen el compromiso de lograr que su visión se haga una realidad. Y una vez que inician la búsqueda de la excelencia, dan el siguiente paso, que consiste en hacer el compromiso diario de aferrarse a su meta. Con el tiempo, lo anterior lleva a que se forme una actitud... ¡La actitud de excelencia!

Por lo general, cuando pensamos que una persona tiene "una actitud", nos predisponemos a pensar que posee una disposición negativa o una mala actitud. Yo pienso que la actitud es un asunto viral en su naturaleza y que puede ser transmitida de una persona a otra. Tal como una individuo con una actitud negativa puede viciar a una organización y hacer del lugar un sitio difícil para trabajar, una persona con una actitud positiva —una actitud de excelencia— puede levantar el espíritu y el ambiente de una organización, lo anterior contribuye a promover un entorno donde la gente siente entusiasmo por el trabajo y ánimo para dejar fluir sus ideas de manera libre y espontánea. De modo que el cuestionamiento es el siguiente: Las personas cuya actitud es negativa, suelen comunicar sus pensamientos a otros, mientras que las personas con actitudes positivas con frecuencia tienden a guardarse sus pensamientos para sí mismas o los expresan únicamente a sus amigos.

> *La calidad de la vida de una persona está en directa proporción con su compromiso con la excelencia, y esto es cierto sin importar el campo de acción en el que se desempeñe.*
>
> —Vince Lombardi

Vince Lombardi es un excelente ejemplo de una persona con una actitud positiva y con una perspectiva positiva. Él logró cambiar el destino de toda una organización a través de su actitud de excelencia.

En una memoria reciente de una edición especial de la revista *Parade*, Jeremy Schaap escribió un artículo sobre la historia de la Súper Copa, en el mismo, el autor destacó cómo Vince Lombardi transformó a un grupo perdedor de jugadores de fútbol de Green Bay, Wisconsin, en un equipo que se convirtió en una leyenda. El artículo reprodujo algunos comentarios de Bart Starr, el mariscal de campo del equipo, quien había ganado sólo un juego en la temporada anterior. Starr describió la primera vez que se reunió con el nuevo entrenador, Vince Lombardi, en aquella oportunidad, éste les dijo a los jugadores: "Señores, quiero que sepan que vamos a perseguir implacablemente la perfección, sabiendo de antemano que nunca la alcanzaremos, porque nada es perfecto. Pero vamos a perseguirla implacablemente porque en ese proceso vamos a caminar por una calle llamada excelencia, y haciendo eso vamos a adquirir lo que es la verdadera esencia de la excelencia". Ellos, de hecho, lo hicieron, se impregnaron de la excelencia, procedieron a ganar cinco campeonatos de la liga y las primeras dos Súper Copas.

Starr recuerda que luego de esa primera reunión con Lombardi, corrió hasta donde había un teléfono, llamó a su esposa y le dijo que ahora había algo diferente, ¡algo había cambiado! Él creía que esta vez el equipo iba a ganar, y a ganar en grande, porque el nuevo entrenador lo había convencido de que eso era posible y de que ellos lograrían la excelencia.

Tiempo después Starr fue inscrito en el Paseo de la Fama del Fútbol, se convirtió en un gran hombre de negocios y un filántropo. Starr dijo que Lombardi le enseñó que cuando uno atrapa la verdadera esencia de "la excelencia"—la actitud de excelencia—, entonces logra transformarse y sorprenderse de lo que puede lograr, no sólo en el trabajo, sino en todos los aspectos de la vida.

Algún tiempo después, mientras esperaba en la puerta de embarque para tomar un vuelo, noté a un hombre que vestía un suéter de los Green Bay Packers. Inmediatamente reconocí que lo había visto en televisión y que se trataba de Paul Hornung, la estrella de los Green Bay Packers que jugó en siete de los ocho años en que Lombardi entrenó al equipo. Yo le pregunté a Hornung si las historias sobre la forma en la que Lombardi había ayudado a su equipo a lograr la excelencia eran ciertas o simplemente mitos urbanos. Sin dudarlo un solo momento, él respondió: "Sí, ¡esas historias no son ningún mito, son totalmente ciertas! ¡Él infundía la actitud de excelencia y esa es la razón por la cual pudimos ganar!".

EL ÉXITO Y LA EXCELENCIA SON ASUNTOS DE ELECCIÓN

> *La fama que va acompañada de riqueza y belleza es efímera y frágil. La superioridad intelectual (una actitud de excelencia) es una posesión gloriosa y eterna.*
>
> —*Sallust*

En todos los manuales del éxito y en cada estudio sobre el mismo, se afirma reiteradamente que el éxito es un asunto de elección, no un asunto de casualidad. Igual sucede para quienes desean crear una vida de excelencia. Las personas deben elegir, es decir, decidir vivir una vida de excelencia.

En mi libro *A Setback is a Setup for a Comeback* (*El Reto: Toda caída nos prepara para una victoria aún mayor*), escribí algo sobre la elección que produjo una respuesta increíble en los lectores de diferentes partes del mundo: "¡La gente exitosa elije ser exitosa! Ella toma la decisión consciente de alcanzar el éxito porque comprende que la decisión y la elección son parte integral de la fórmula del éxito, que no es un asunto de casualidad sino de elección".

Rick Pitino, anterior entrenador de los Celtics de Boston y de los Wildcats de Kentucky, campeones en 1966 de la NCAA, escribió en su libro *Success Is A Choice* (*El éxito es una elección*): "El éxito no ocurre a menos que usted decida hacer que este ocurra. El éxito no es algo así como un golpe de suerte.

No es un derecho divino. No es un accidente de la naturaleza. El éxito es un asunto de decisión". Y lo mismo puede decirse de la excelencia, pues también es un asunto de decisión.

LAS PERSONAS TIENEN EL PODER

Las grandes organizaciones saben que aunque las actualizaciones tecnológicas son importantes, la diferencia más importante entre las buenas organizaciones y las organizaciones excelentes tiene que ver con la gente que trabaja en ellas.

También es un asunto importante entender el impacto que las personas felices causan en el servicio de excelencia. Los hoteles y *resorts* más sobresalientes integran como parte de su rutina determinar el estado de felicidad de sus empleados. ¿Y por qué lo hacen? Esto ocurre porque los empleados felices y satisfechos procuran rendir más en su trabajo. Lo Anterior quedó claro en el estudio publicado en el *USA Today*, en la edición del 22 de junio de 2006, que muestra que si la gente está feliz en su hogar, tiende a ser más feliz en su lugar de trabajo y a suministrar un mejor servicio.

Por su parte, Richard Hadden y Bill Catlette expresan este concepto de forma contundente en su popular libro *Contented Cows Give BetterMilk* (*Las vacas contentas dan mejor leche*), ellos afirman que quienes son más felices en casa y se hallan contentos con sus trabajos, son exponencialmente más productivos que quienes no son tan felices en casa. Por lo tanto, aquellas personas que tienen niveles más altos de satisfacción interna, tanto en el hogar como en el trabajo, tienden a ofrecer un mejor servicio a los clientes y disfrutan más de sus relaciones interpersonales con otros empleados. Richard y Bill tienen razón: Las personas felices son propensas a producir mejores resultados y suelen generar altos ingresos en las compañías para las que trabajan.

EL PODER DEL LIDERAZGO EN LOS NIVELES DE MANDO MÁS BAJOS DE LA ORGANIZACIÓN

Con el fin de alcanzar un éxito de cinco estrellas, usted deberá contar con líderes eficaces en todos los niveles de la organización. Y con el objetivo de convertirse en un líder más efectivo, usted deberá convertirse en "Líder de uno". Antes de poder dirigir a otros, usted deberá estar en condiciones de dirigirse a sí mismo. Para convertirse en un líder, uno debe empezar desde su propio interior y hacer un compromiso para mejorar, y continuar haciendo eso mismo todos los días.

Martin Luther King Jr. Decía: "Si usted no tiene algo por lo cual permanecer de pie, entonces va a ser derribado por cualquier causa". Todos tenemos que hacer el compromiso de convertirnos en líderes más eficaces; lo anterior se aplica a los empleados de los niveles de mando más bajos de la organización, así como a los gerentes y a los subgerentes. Todo el mundo debería estar desarrollándose en un líder proactivo y progresivo. Yo creo firmemente que en cada persona existe un líder. ¡Hay un líder dentro de ti!

EL PODER DE "HACER LAS COSAS MEJOR"

A través de los años he aprendido una lección valiosa: Si alguien quiere alcanzar el éxito tanto a nivel personal como profesional, debe comprometerse a ser mejor y a hacer las cosas mejor. Por ello, con el fin de alcanzar un éxito de cinco estrellas, debemos estar dispuestos a lograr lo mejor tanto en nuestros intereses personales como en los laborales. Por lo tanto, si queremos tener mejores hijos, entonces debemos convertirnos en mejores padres. Si queremos mejores relaciones interpersonales, entonces debemos ser mejores amigos. Si deseamos mejores empleados, debemos llegar a ser mejores jefes. Si queremos obtener mejores resultados en la vida, debemos ser mejores en lo que hacemos y continuar mejorando día a día.

Así pues, ¡uno debe hacer el compromiso de mejorar! He podido concluir que, cuando uno empieza a trabajar consigo mismo para mejorar, la vida le empieza a mejorar.

Además, quiero compartir que tuve la fortuna de escuchar una entrevista con el legendario entrenador de baloncesto de los Osos Pardos de UCLA, John Wooden, quien acumuló el mayor récord de campeonatos universitarios ganados; dicho diálogo fue grabado cuando él ya contaba con más de noventa años, y en el mismo hubo dos preguntas consecutivas que me llamaron mucho la atención:

—"Entrenador: "¿Cuál es su actividad diaria ahora que está retirado?", y díganos por favor "¿cuál fue el secreto para ganar tantos campeonatos con los Osos Pardos de UCLA?".

El entrenador Wooden dijo que iba a contestar las dos preguntas con una sola respuesta.

—*"El secreto de mi éxito es el secreto de mi vida, y es lo que he estado haciendo durante los últimos sesenta y cinco años, y que he continuado haciendo todos los días hasta el presente: Yo trabajo en mí mismo. ¡Trabajo en mejorar!"*.

El entrenador Wooden afirmó que cuando era joven, hizo el compromiso de convertirse en un aprendiz de tiempo completo sobre el tema del autodesarrollo. Descubrió que quienes tienen los mejores resultados a largo plazo son quienes hacen un compromiso consigo mismos de mejorar para sí constantemente; además, agregó que quienes continúan trabajando en su propio desarrollo, mejoran su desempeño y logran más en la vida.

Y fue debido a ese compromiso con su propio desarrollo que Wooden nunca se dio por satisfecho con sus propios logros, sino que siempre intentó continuar mejorando su desempeño. Él infundió esa misma filosofía en sus jugadores y les enseñó que sin importar contra quiénes jugaran, sus principales oponentes siempre iban a ser ellos mismos, que la tendencia humana es la de conformarse con el éxito alcanzado y con el tiempo desarrollar un derrotero de mediocridad. Una vez sus jugadores entendieron esta forma de pensar, jugaban consistentemente a otro nivel y continuaban mejorando su desempeño de forma constante. Por ello es que Wooden ganó más campeonatos universitarios que cualquier otro entrenador en la historia.

Para este entrenador todo consistía en mejorar constantemente sin nunca acabar. De la misma forma, las organizaciones cinco estrellas nunca se quedan satisfechas con el éxito y siempre están trabajando en optimizar su desempeño. Por su parte, Pat Riley, uno de los entrenadores más exitosos del baloncesto profesional, lo expresó del siguiente modo: "¡La excelencia es el resultado gradual de esforzarse siempre por hacer lo mejor! Es hacer todos los días un poco más de lo que uno cree que puede lograr". Y la experiencia me ha demostrado que tanto Pat Riley como John Wooden tienen razón: Entre más trabajo en mí mismo, más gano. Yendo un poco más allá, ¡entre más aprendo, más cosecho!

CÓMO CREAR EL ÉXITO DE CINCO ESTRELLAS

¿Qué se siente formar parte de una organización cinco estrellas y vivir una vida cinco estrellas? ¿cómo lo imagina? ¿está usted dispuesto a crear esa visión y a hacerla realidad? ¿está dispuesto a hacer lo que sea necesario para "mejorar"?

Un buen ejemplo de esto es el Hotel Four Seasons de Washington, D.C., lugar donde el gerente general, Christopher Hunsberger, desarrolló una nueva cultura de excelencia con un concepto que él, de forma sencilla, denominó "¡El mejor programa!". Yo leí sobre el señor Hunsberger en *USA Today* cuando su empresa recibió la designación de "Hotel cinco estrellas" de parte del comité encargado de otorgar la calificación. Me entrevisté con Hunsberger y él me compartió algunas ideas maravillosas sobre cómo fue que su hotel pasó de ser un muy buen hotel, a uno de los mejores hoteles de América.

Cuando el señor Hunsberger llegó a ser el gerente general del Four Seasons, este era considerado en la industria como un muy buen hotel de cuatro estrellas. No obstante, el señor Hunsberger soñaba con crear un hotel cinco estrellas de clase mundial. La dirección anterior había intentado varias veces alcanzar la calificación cinco estrellas pero no lo había logrado. Así pues, Hunsberger asumió el cargo muy consciente de la situación, sabiendo que sería muy difícil enfrentar el reto; pero supuso que aquello era posible y estableció un programa para hacer ese sueño una realidad.

Comenzó vendiéndole a su personal, desde los niveles más altos hasta los de menor jerarquía, la visión de crear un hotel cinco estrellas. Con el fin de lograr la meta, aquello implicaba trabajo comprometido en equipo. El siguiente paso era lograr una transformación radical de la estructura física. El Four Seasons emprendió una renovación que costó USD $25 millones, lo que dio como resultado unas instalaciones maravillosas. Una vez se completó la renovación, reunió a todos los miembros de su personal y les preguntó: "¿No es esta una renovación espectacular? Ahora, ¿qué podemos hacer para transformar nuestro servicio de modo que esté en consonancia con el nuevo rostro del hotel?, ¿qué podemos hacer para crear una cultura de servicio que no tenga comparación?".

El señor Hunsberger sabía que la competencia podría replicar las mejoras físicas simplemente con invertir dinero. Muchos hoteles tienen mármol costoso en sus *lobbies* y en sus habitaciones de lujo, pero la diferencia entre los buenos hoteles y los mejores es el servicio; los segundos siempre "impresionan" a sus clientes con el servicio, y para lograr eso, se necesita hacer un compromiso con la excelencia.

Entonces, el señor Hunsberger fue a cada uno de los departamentos y les preguntó a los asociados: "¿Qué puede hacer usted cada día para mejorar el servicio, de modo que podamos crear un hotel sin comparación?"; él los animó para que desarrollaran nuevas ideas y les recordó que una de sus metas era la de asombrar a los clientes con su servicio, de modo que aquellos clientes satisfechos le contaran a todos sus conocidos sobre su experiencia en el Four Seasons. El mejor concepto de Hunsberger fue el de enfocarse en "ser mejor y hacer mejor" cada día. Su meta era la de crear una cultura del servicio intuitivo que inspirara en sus asociados la habilidad de anticiparse a las necesidades de los clientes, en lugar de esperar a que estos las mencionaran.

Así fue como Hunsberger y su equipo trabajaron para alcanzar aquella quinta estrella que hasta el momento había sido tan esquiva, y con ese fin trabajaban año tras año, pero aún así no lograban recibir la mayor calificación; sin embargo, aunque no la conseguían, se concentraron en ser superiores y decidieron inventar un eslogan que cantaban todos los días: "La quinta estrella o nada… La quinta estrella o nada". Y no bajaron la guardia frente al reto de hacer lo mejor a diario.

Luego de trabajar durante cinco años, finalmente lograron su meta, el Hotel Four Seasons fue distinguido con la anhelada calificación de cinco estrellas. En periódicos y revistas de circulación nacional el comentario constante fue: "¡El hotel está entre lo mejor de lo mejor!". Y se les proclamó como "La historia de éxito de los más recientes Cinco Estrellas". No obstante lo anterior, ellos notaron que su meta no era precisamente alcanzar la calificación de cinco estrellas, sino más bien la cultura que habían desarrollado en el proceso, el haber creado una actitud de excelencia y una cultura de hacer siempre "¡lo mejor!". Y aquella cultura estaba tan bien fijada en la mente de su personal, que incluso habiendo sido reconocidos con el estatus de las cinco estrellas, continuaron buscando nuevas formas de mejorar y de sorprender a sus clientes cada nuevo día.

De otro lado, mi amiga Zemira Jones, una de las más importantes expertas en gerencia, afirma con bastante frecuencia: "Cuando somos más exigentes con nosotros mismos, la vida nos trata con bondad. Sin embargo, cuando somos indulgentes con nosotros mismos, la vida se vuelve exigente con nosotros". Lo anterior concuerda con las palabras de Lucille Ball, la gran comediante y estrella de televisión, quien afirmó: "¡He descubierto que entre más duro trabajo... tengo mejor suerte!".

De lo anterior podemos concluir que convertirse en líder es un asunto de reconocer que uno cuenta. Es muy importante llegar a identificar el potencial de liderazgo que reside en nosotros. Aquí es donde resulta muy oportuno el siguiente extracto del libro *El Reto: Toda caída nos prepara para una victoria aún mayor*:

"Aquel que no sabe y que no sabe lo que no sabe, pero que piensa que sabe, ¡es un tonto! ¡Déjale solo!

Aquel que no sabe y sabe que no sabe, es un niño... ¡enséñale!

Por otra parte, aquel que sabe y que sin embargo no sabe que sabe, está dormido... ¡despiértalo!

Ahora bien, aquel que sabe y sabe que sabe, y utiliza lo que sabe, es un líder... ¡Síguele!".

El desarrollo del liderazgo es un asunto importante para aplicar la fórmula del éxito cinco estrellas. ¿Desea usted, realmente, alcanzar el éxito y está dispuesto a trabajar consigo mismo para desarrollar sus mejores cualidades? ¿está preparado para tomar algunas clases? ¿querría asistir a seminarios de entrenamiento? ¿se encuentra dispuesto a inventariar sus fortalezas y debilidades, y quiere empezar a mejorar el conjunto de sus cualidades? ¿está en disposición de hacer un compromiso para aprender durante toda su vida? Infortunadamente, las estadísticas muestran que gran parte de las personas están más interesadas en planear sus vacaciones que en trabajar en su propio mejoramiento, también indican que no leen libros informativos o de autoayuda después de   terminar su formación académica. La mayoría de las personas ven televisión durante horas y nunca leen un libro o escuchan un programa de audio educativo.

Además, sería positivo que se preguntara: ¿Qué libros acostumbra a leer? ¿qué tipo de programas escucha? ¿qué conjunto de cualidades se está esforzando en desarrollar? Personalmente adoro el concepto del aprendizaje para toda la vida que dice: "Si alguna vez vas a una casa de 10 millones de dólares, notarás que estas casas cuentan con una biblioteca. La pregunta es: ¿la persona que compra una casa de 10 millones de dólares, la adquiere porque tiene una biblioteca o es la biblioteca la que le permite comprar esa casa?".

Pero continuemos con nuestras preguntas: ¿Cómo está intentando mejorar? ¿qué está haciendo usted para convertirse en un mejor líder? Benjamín Franklin dijo: "Lo que invertimos en nosotros mismos siempre produce los mejores dividendos. Los centavos que gastamos en nuestra mente producen dólares en nuestros bolsillos".

Por otro lado, en verdad me alegra que usted esté leyendo este libro. Eso lo ubica entre un grupo de personas poco común. Cuando usted eligió este libro, dio un paso que la gente promedio nunca dará. Mi amigo Charlie Jones, "El Tremendo", fue una de las grandes leyendas en el terreno del autodesarrollo, siempre se le escuchaba decir: "En cinco años usted será la misma persona que es hoy, ¡con excepción de las personas que conozca y los libros que lea!". Por lo tanto, usted debe asumir la responsabilidad de su propio éxito, hacer el compromiso de trabajar en usted mismo y de mejorar en los aspectos que necesite. Así estará en camino de vivir una vida de cinco estrellas y de desarrollar una organización cinco estrellas.

Con frecuencia, la gente no cuenta con la posibilidad de tener una vida cinco estrellas porque cree que sólo un reducido número de personas puede llegar a ser líder, además piensa que si alguien no nació siendo líder, nunca lo será. Aunque es cierto que algunas personas nacen siendo líderes, la gran mayoría de los líderes no nacen sino que se desarrollan con el transcurso del tiempo. Yo considero que los líderes son como los diamantes, que se obtienen mediante un proceso. Al principio un diamante es un trozo de carbón que se separa del grupo y atraviesa unos pasos, su metamorfosis, lo que implica algunos cambios, pruebas, adversidades y mucha presión. Cuando este elemento ha pasado por todo este proceso, ya no es un pedazo de carbón ¡sino un hermoso diamante!

Por su parte, el abogado, escritor, también orador, ministro y filántropo Russell Conwell, autor del libro clásico *Acres de Diamantes* (Jove Publishing, 1986), expone este asunto de una manera muy clara: Un granjero africano escucha durante mucho tiempo sobre las ganancias que se obtienen en el negocio de los diamantes, de modo que decide vender su terreno para ir y hacerse rico en el negocio. Entonces publica un anuncio en el periódico indicando que aceptará la mejor oferta. Cierto hombre joven viene a ver la parcela y el granjero la vende por unos cuantos centavos, el dinero justo para emprender su nueva actividad de búsqueda de diamantes. El granjero se va y durante más de 10 años busca diamantes, pero no encuentra ni siquiera uno solo. Al final, después de varios años de exploración infructuosa, el hombre se da por vencido. Decepcionado y en completo desespero, se arroja desde el peñasco más alto que encuentra y así termina con su vida.

Entre tanto, allá en la granja, el nuevo propietario camina por un nacimiento de agua y observa una roca fangosa que brilla con la luz del Sol. El hombre toma la roca, le quita el barro y la coloca sobre la repisa de la chimenea. Semanas después, un amigo de la ciudad viene a visitarlo y ve la roca sobre la repisa, entonces le pregunta al hombre joven si sabe qué es esa roca. Su amigo le contesta:

—"Bien, creo que simplemente es una roca bonita".

El visitante le contesta:

—"No, ¡es un diamante, un gran diamante!".

La moraleja de esta historia es que uno no tiene que ir buscando los diamantes porque ellos *están dentro de uno mismo*.

Igual sucede con los líderes. Y tal como los diamantes no resultan siendo diamantes, así ocurre con los líderes. Cuando un bebé nace y el médico le da su primera palmada en la nalga, no le dice a la enfermera: "¡Pongan a éste en el grupo de los líderes!", ¡no, eso no es lo que sucede! Más bien, el médico dice: "Este es un hermoso bebé, con un potencial increíble, y si este bebé desarrolla ese potencial, podrá realizar obras maravillosas en el futuro". Las posibilidades para ese bebé son ilimitadas, no obstante, eso será cierto si el bebé toma la decisión de desarrollarse a sí mismo. Más adelante, ese bebé puede llegar a ser un médico muy famoso, o un gran educador, o una persona de negocios exitosa, o tal vez pueda llegar a ser algún día el Presidente de los Estados Unidos. El médico sabe que nadie puede decir al momento del nacimiento si el bebé tendrá éxito o no. El potencial y las posibilidades de alcanzar la grandeza son inherentes al bebé, pero al final, el éxito o el fracaso del bebé dependerá principalmente de las decisiones que él mismo haga.

Es cierto que las circunstancias, los factores hereditarios y el ambiente tienen su parte en el desarrollo personal. No obstante, la parte más importante reside en la persona misma.

La historia ha registrado muchos ejemplos de personas que nacieron en situaciones difíciles pero lograron superar esas circunstancias y alcanzaron el éxito; en efecto, vencieron los desafíos y se convirtieron en diamantes, en líderes. El potencial residía en ellos y tuvieron que trabajar para desarrollar lo que había en su interior con el fin de maximizar su potencial.

Las organizaciones cinco estrellas entienden este concepto, por eso es que invierten en su personal. Los líderes que en todos los niveles de la organización piensan y trabajan en equipo, inspiran en otros un mejor desempeño, más productividad y aumentan las ganancias, pues se concentran en desarrollar a su personal mejorando su actitud, su aptitud y su deseo. Hemos aprendido que una de las claves para desarrollar el liderazgo es entender que lo importa no es saber de dónde provenga alguien, lo que realmente importa es hacia dónde se está dirigiendo.

3

LA CLAVE No. 2 DE LA ACTITUD DE EXCELENCIA: GESTIÓN PROACTIVA DE CAMBIO

Reconozca que el cambio es un aliado, no un enemigo, y desarrolle habilidades para gestionarlo. Al acoger los componentes del cambio, el desafío y las opciones dadas, puede aprender a tener éxito y no sólo a "IR" a través de los cambios, sino a "CRECER" mediante ellos.

Es importante resaltar que una parte crítica de la fórmula del éxito de cinco estrellas es aceptar la importancia del cambio. Los líderes entienden que el mejoramiento se debe dar de forma constante con el fin de maximizar el éxito, y para continuar mejorando se debe estar en disposición de aceptar el cambio. Además, hay tres aspectos que considero están directamente relacionados con alcanzar el éxito, ellos son: El cambio, el desafío y la decisión. Consideremos cada uno a continuación:

EL CAMBIO

Los líderes ven el cambio no como un enemigo sino como un aliado, saben que éste va a ocurrir y les agrade o no, el cambio es inevitable; sin embargo, la forma como respondamos a ese cambio siempre es opcional. Podemos acoger el cambio o rehusarnos a aceptarlo, es nuestra decisión.

Imagine que el cambio es como un tren supersónico de carga que viene hacia nosotros. Debido a los adelantos tecnológicos, el cambio viene hacia nosotros cada vez más rápido. Para demostrarlo citaré un ejemplo sencillo: El computador que compré hace un año era el más veloz y eficiente del momento; hoy, un año después, cuando voy a comprar actualizaciones de *software*, me dicen que mi computador se ha vuelto obsoleto, y me recomiendan comprar un modelo nuevo, uno que sea más rápido.

El cambio ocurrirá, queramos aceptarlo o no. Es imposible impedir que se dé. A pesar de ello, sí podemos elegir cómo vamos a responder a él. Existen muchas maneras de reaccionar al cambio y una opción es la de quedarse parado frente al tren, cruzarse de brazos y decir: "No quiero el cambio. Ya lo resolví y no voy a moverme. Siempre he hecho las cosas de esta manera y me ha funcionado". Esta, por supuesto, no es la mejor opción porque el tren va a venir y lo va a embestir a uno.

La segunda opción es la de dar unos pasos atrás e ignorar el tren, o sentarse y observar cuando este pase, mientras se dice: "¿No es un tren hermoso? Nunca he hecho negocios de esa manera y no me siento muy cómodo con este tema del internet, aunque sí dejo que mis hijos jueguen en la red y reviso mis correos una vez a la semana". De nuevo, esa no es una buena elección porque el tren pasará a su lado.

La tercera opción, y la que sugiero, es: ¡Cuando el tren venga, abórdelo y súbase en él! Y si usted es verdaderamente sabio, no sólo lo abordará sino que buscará la manera de conducirlo. Jack Welch, anterior presidente de General Electric, a quien con frecuencia se le llamó "el presidente corporativo del siglo", era bien conocido por la frase: "Sólo quienes conducen el cambio maximizan su potencial y sus posibilidades".

Por ejemplo, imagine el siguiente escenario: Un hombre joven y quien recientemente dejó de asistir a la universidad, ve que el tren del cambio viene hacia él, de modo que lo aborda y una vez dentro, avanza hasta llegar a la parte delantera; estando allí, ve a un hombre mayor conduciendo el tren y le pregunta si él podría conducirlo durante un par de minutos, al principio el hombre mayor se rehúsa, pero el joven continúa insistiendo una y otra vez hasta que el conductor accede a la petición y le permite conducir, con la condición de que sólo sea por unos pocos minutos.

Entonces, el hombre joven toma el mando del tren y comienza a conducirlo. Después de algunos minutos, el mayor le da unas palmadas en el hombro al joven y le dice que la prueba de conducción ha concluido; pero el hombre joven se rehúsa a devolver el mando, afirma que quiere seguir conduciendo el tren y contiende para lograrlo. Hoy en día conocemos a este hombre como la persona que continúa manejando el tren de cambio, es Bill Gates, el hombre más rico del mundo. Gates demuestra que Jack Welch estaba en lo correcto: "Sólo quienes conducen el cambio pueden maximizar el potencial y las posibilidades".

Bien dice el adagio: "Es mejor montar el caballo en la dirección hacia la cual éste se dirige". Yo digo que uno debería abordar el tren y montarlo en la dirección en la que éste va, pues el tren del cambio continúa avanzando. Recuerde, usted siempre tiene la posibilidad de elegir cuál va a ser su respuesta al cambio. Uno puede resistirse al cambio o ignorarlo, pero también puede acogerlo e ir a la par con él. Si usted ha de alcanzar éxito categoría cinco estrellas, entonces tendrá que estar dispuesto al cambio y a considerarlo como un aliado, no como un enemigo. Habrá momentos en los que el cambio se abrirá paso en usted. Allí es cuando el desafío entra en el cuadro. Este tema lo consideraremos más adelante en este mismo capítulo.

El cambio es una parte importante y esencial tanto de la vida como de todo viaje exitoso. Con frecuencia me preguntan sobre el título de mi primer libro, *Sólo toma un minuto cambiar su vida*. Las personas me piden que les explique si esa declaración es cierta: ¿Puede uno cambiar su vida en tan solo un minuto? Mi respuesta es: "¡Desde luego!". El minuto en el que usted toma una decisión y se dirige en una nueva dirección, ese es el minuto en el que usted cambia su vida. Aunque probablemente no alcance a llegar a su destino en un minuto, sí podrá cambiar la dirección en la que se dirige. Y cuando usted toma la decisión de cambiar y emprende la acción, en ese momento usted cambia su vida.

El libro *Sólo toma un minuto cambiar su vida* incluye mensajes de un minuto que ayudan a la gente a digerir el cambio en pequeñas porciones de valiosa información. A medida que avancemos en la ruta que conduce al éxito vamos a experimentar el cambio. Alguien lo expresó de manera excelente al afirmar: "Todo progreso es el resultado del cambio, sin embargo, no todos los cambios significan progreso". Cada uno de nosotros experimenta de alguna manera el cambio, que siempre va en progreso y nunca termina, hace impacto y nos afecta a todos, y esto es cierto incluso si ni siquiera lo percibimos. El consultor de gerencia y ventas Tom Hopkins dice: "Si a usted no le gusta el cambio, va a terminar odiando haberse convertido en algo irrelevante".

En el mundo laboral de hoy, nadie puede garantizar que va a continuar haciendo el mismo trabajo de la misma manera en la cual lo está haciendo en la actualidad. Al final de los años 90 del siglo pasado, yo estaba pronunciando un discurso en Fayetteville, Carolina del Norte, la sede de la base militar Fort Bragg, el conductor del servicio de transporte que me recogió había pertenecido a las Fuerzas Militares, yo le pregunté sobre la cantidad de tiempo que había estado conduciendo y me respondió que hacía poco, mencionó que había hecho carrera militar en el Ejército... hasta que lo dejaron ir.

Le pregunté: "¿Me está diciendo que fue despedido del Ejército por reestructuración?".

El hombre contestó: "Así es", y a continuación procedió a explicarme los detalles. Al principio había estado muy molesto, hasta el momento en que tuvo una conversación con uno de sus amigos, quien le preguntó por las circunstancias que produjeron su despido, él le contó que había estado en servicio por más de 26 años haciendo el mismo trabajo de la misma manera; así que no podía entender cómo lo habían despedido del Ejército después de tanto tiempo.

Su amigo le respondió: "¿Me estás diciendo que estuviste haciendo el mismo trabajo, de la misma manera, durante 26 años? Si ese es el caso, necesitabas ser despedido. No cambiaste, mientras que el entorno y el mundo a tu alrededor cambiaron".

Su amigo le ayudó a entender que a menos que uno continúe creciendo y cambiando, estará en desventaja y estará en proceso de devaluación. Hacer lo mismo en el trabajo durante 26 años es como si una persona utilizara un automóvil Gremlin (fabricado entre 1970 y 1978), vistiera con trajes de poliéster casuales y utilizara una máquina de escribir, en vez de un computador. Tal como lo expresó un amigo: "Si no continúas creciendo, entonces sencillamente estás ocupando espacio".

Para sobrevivir y prosperar en el actual mercado laboral, usted deberá expandirse, de lo contrario, los riesgos se harán expansibles. Algunas personas afirman que uno debe crecer o irse. Bill Freeman, anterior presidente de Verizon Communications, me dijo que siempre había estimulado a su personal a crecer y siempre tenía presente la premisa: "Si mi personal no está en demanda y no tiene valor fuera de la organización, tampoco lo estará dentro de la organización".

¿Es el cambio o es usted?

Puesto que los seres humanos somos criaturas de hábitos, nos resulta incómodo cambiar. Tendemos a hacer lo que siempre hemos hecho porque es parte de nuestra naturaleza. Mi madre solía decirme algo que me ayudó a entender mejor el tema del cambio: "Willie, si te mantienes haciendo siempre lo mismo, continuarás obteniendo lo que siempre has obtenido", luego de varios sermones, finalmente lo entendí y procuré el cambio.

Las estadísticas demuestran que la mayoría de personas que van a un restaurante por segunda vez, ordenan el mismo plato que pidieron la primera vez que asistieron allí. La mayor parte de las personas que van a una iglesia, sinagoga, mezquita o centro de adoración, tiende a sentarse en el área en donde se sentaron la vez anterior. Y no se atreva usted a sentarse en las sillas de estas personas porque hasta pueden abandonar su religión. Si usted va a un gimnasio, probablemente tendrá un casillero que le guste utilizar. Y si alguien lo está utilizando, es posible que usted se moleste. Cuando usted utiliza sus pantalones es posible que siempre introduzca primero la misma pierna para ponérselos.

Lo anterior nos sirve para indicar que somos seres acostumbrados al hábito, somos proclives a hacer lo que siempre hemos hecho porque siempre lo hemos hecho de la misma manera. No obstante, si queremos conseguir resultados diferentes, tenemos que estar dispuestos a acoger el cambio. Una de las definiciones de *demencia* es: "Hacer lo mismo, de la misma manera y esperar un resultado distinto". De modo que si queremos ganar en la vida, debemos cambiar; si no cambiamos, perdemos, y ese será el resultado de no haber crecido. Mi amigo Dan Burrus, autor del libro *Technotrends (Tendencias tecnológicas)*, dice: "Todos los seres vivos que crecen cambian. Sin embargo, todas las cosas que cambian no siempre crecen. Ahora bien, si tenemos un cambio positivo o no, dependerá de nosotros".

Por su parte, hace años el comentarista deportivo Howard Cosell entrevistó al campeón de los pesos pesados Mohamed Ali, quien se estaba preparando para regresar al cuadrilátero luego de haber estado alejado del boxeo durante varios años. Cosell mencionó que Ali estaba a punto de pelear contra un adversario muy imponente, George Foreman, quien estaba invicto. Cosell le preguntó a Ali: "Mohamed, esta va a ser una pelea muy dura, ¿eres el mismo luchador de hace 20 años cuando comenzaste a pelear?".

Ali miró directo a Cosell y le dijo: "¡Ciertamente espero que no sea así! Alguien que sea la misma persona 20 años después, es una persona digna de lástima". Ali no era el mismo luchador, tenía más años, había cambiado su forma de pensar y había aprendido de la experiencia. Ali venció a Foreman e implementó una técnica denominada *rope–a–dope*, que consistió en apoyarse en las cuerdas hasta permitir que Foreman se desgastara solo. Una vez que su oponente estuvo cansado, Ali contraatacó y ganó la pelea. De lo anterior podemos concluir que Ali ganó el campeonato mundial de boxeo porque utilizó el cambio como un aliado, no como un enemigo.

Un aspecto interesante con respecto a esta historia y el poder del cambio es que George Foreman también cambió, pasó de ser un boxeador gigante de aspecto feroz y poco comunicativo, a convertirse en una personalidad agradable y divertida de los medios de comunicación, hoy en día es una de las personalidades más populares de los Estados Unidos, así como uno de los anunciantes más famosos de "La parrilla de George Foreman"; adicional a ello, volvió al cuadrilátero y se convirtió en el hombre más veterano en ganar un campeonato de los pesos pesados. Todo porque logró reinventarse a sí mismo y maximizó su potencial, utilizando el cambio como un aliado y no como un enemigo.

EL DESAFÍO

Por lo general, donde hay cambios también hay desafíos, estos dos suelen ir de la mano. Y aunque enfrentar desafíos no es algo agradable, los mismos pueden convertirse en catalizadores del crecimiento o de desarrollos importantes; es decir, pueden transformarse en la clave de nuestro éxito. En su libro *¿Quién se ha llevado mi queso?*, el doctor Spencer Johnson escribió una parábola que destaca la manera en que muchas personas, en ocasiones, no están dispuestas a cambiar, e incluso están dispuestas a llegar hasta el punto de padecer hambre; mientras que quienes acogen el cambio son quienes prosperan y alcanzan el éxito.

Mi propia experiencia ilustra la forma en que los desafíos pueden ayudar a alcanzar el éxito. Durante muchos años fui cantante en un club nocturno, durante el día hacía comerciales y en las noches cantaba en el club, lugar que me generaba la mayor parte de mis ingresos. Decidí diseñar un espectáculo nocturno que era uno de los más atractivos del área metropolitana del D.C., fui galardonado por la Asociación de música WAMNIE de Washington (la versión del premio *Grammy* para el área de Washington) durante tres años consecutivos como el mejor cantante de jazz y el mejor presentador. Vendíamos entradas por anticipado para la mayoría de eventos del fin de semana y la gente debía comprar los boletos con mucha anticipación. Yo estaba ganando buen dinero y me divertía mucho.

Pero cierta noche, luego de llegar al club, el gerente del lugar me dijo que quería hablar conmigo después de la presentación. Me entusiasmé bastante porque habíamos estado vendiendo bien por meses y el lugar estaba recibiendo muchos ingresos. Yo esperaba un aumento, de modo que le dije a los chicos de la banda: "Bien, ¡finalmente ellos quieren hablar! ¡Vamos a conseguir un aumento!".

Más tarde, cuando entré en la oficina del gerente, él me

dijo: "Willie, ¡estuvieron estupendos esta noche! ¡La gente los adora! Sabes, hemos vendido mucho desde que ustedes se están presentando aquí".

En esa conversación, con cada segundo que pasaba yo me entusiasmaba más, con cada palabra que él pronunciaba, yo veía más grande el signo de dólares. Estaba listo para ir al punto en cuestión tan pronto como pudiera, de modo que dije: "¡Eso es fantástico! Así que, ¿cuándo recibimos nuestro aumento?".

El hombre dijo: "¿Aumento? No, de eso no es de lo que quiero hablarte. Verás, los dueños desean tener un mejor retorno de la inversión. El club está lleno ahora, y la única manera de lograr un mejor retorno de la inversión es reduciendo gastos. Y dado que la banda es el gasto más grande, vamos a introducir un cambio". Ellos habían conseguido algo muy económico que hacía que los clubes se llenaran de público, ¡habían comprado equipo karaoke!

De modo que yo pregunté: "¿Y qué hay de mis facturas?". Esa noche aprendí que nadie se interesa por facturas excepto uno mismo y la gente a la que uno le debe dinero.

Yo había sido reemplazado por una máquina karaoke y eso me había dejado devastado. Había hecho todo lo posible por ayudar a los dueños a hacer que su negocio creciera. Para promover el club, yo había hecho entrevistas para la radio, había diseñado tarjetas postales para invitar a las personas, e incluso había realizado algunas presentaciones promocionales. Hice esto a favor de los dueños y nunca solicité dinero a cambio porque mi intensión era ayudarlos para que su negocio prosperara; sin embargo, estaba siendo despedido porque era más barato tener una máquina que tener una banda en vivo.

Eso me hacía sentir deprimido y triste porque todo lo que yo sabía hacer era cantar, y una vez perdiera mi trabajo no sabía qué iba a hacer. Fue en este momento difícil que un amigo me dio un CD sobre motivación. Se trataba de *El secreto más extraño*, de Earl Nightingale. En éste, el autor citaba al antiguo estratega militar Hannibal, el gran general africano (cartaginense) que conquistó a los romanos haciendo lo que el enemigo pensaba que era imposible: Atacar desde atrás mientras atravesaba los Alpes montado en elefantes. Hannibal dijo: "Si no puedes encontrar la manera, entonces tienes que inventarla".

Tan pronto fui despedido supe que necesitaba un cambio. De modo que inicié un curso de desarrollo personal y aquella experiencia significó un nuevo comienzo en mi vida. Empecé a devorar información relacionada con temas de motivación, me di cuenta que necesitaba cambiar lo que había puesto en mi mente para modificar lo que salía de mi: Mis pensamientos, tener nuevos pensamientos, tener un nuevo actuar. Yo no estaba muy seguro de lo que iba a hacer, pero sabía que necesitaba moverme en una nueva dirección positiva con el fin de lograr algo. Tenía un problema, pero más importante que eso, había una decisión que debía tomar, debía decidir si iba a continuar haciendo las cosas de la misma manera en que las había hecho, o si iba a cambiar. ¡Yo decidí cambiar, y cambiar hacia el lado positivo! Fue un verdadero desafío cambiar, pero eso era parte del proceso… ¡y valió la pena!

LA DECISIÓN

Una vez usted decide cambiar, encuentra desafíos que forman parte del proceso de crecimiento. No obstante, tenga en mente que es con los desafíos que uno crece. Todos hemos escuchado la expresión "cómo duele crecer". Todo crecimiento representa desafíos. Los bebés luchan por aprender a caminar y mientras caen e intentan levantarse, es que avanzan ¡y con el tiempo también aprenden a correr! ¿Está usted dispuesto a asumir esos desafíos y a crecer?

De tal forma que una vez decidí ir en una nueva dirección, hice cosas que nunca hubiera hecho en el pasado. Acepté un trabajo de medio tiempo en el Montgomery County Community College donde trabajé como consejero para estudiantes de alto riesgo. Al final del semestre tuvimos una comida de premiación para los alumnos que habían permanecido en la institución y que habían mejorado el promedio de sus notas. Para esa ocasión el director del programa me solicitó que hablara sobre la forma como habíamos logrado la meta. Yo no tenía idea sobre lo que iba a decir, pero a medida que me preparaba para la presentación, decidí agregar una canción inspiradora al final, como solía hacerlo en mis apariciones en el club nocturno.

El día del evento pronuncié mi discurso y canté mi canción. La audiencia respondió con una ovación muy calurosa. Yo asumí que era por la canción. Sin embargo, luego de la presentación, un buen número de personas se me acercó para copiar las notas de mi alocución. ¡Yo estaba absolutamente sorprendido! Y como resultado de ese discurso recibí más invitaciones para presentar otras charlas.

No mucho tiempo después, un miembro del Distrito del Sistema de Escuelas Públicas de Columbia se contactó conmigo y me pidió que dirigiera un nuevo programa de prevención contra las drogas llamado "Imágenes Positivas", el mismo fue diseñado para mezclar música y entretenimiento como medio para prevenir el consumo de sustancias ilegales. Yo acepté el desafío y empecé a trabajar con un grupo de estudiantes que tenían talento en la música y en la actuación, de modo que desarrollamos algunas parodias y presentaciones musicales que proyectaran una imagen positiva y suministraran razones positivas para mantenerse alejado de las drogas y de la violencia. Como parte de mi trabajo era invitado a hablar a los estudiantes y al personal de las escuelas con respecto a tomar decisiones sabias. Cuando hacía esto, de nuevo incluía elementos aprendidos en mis años de trabajo en el entretenimiento. Así fue como mis presentaciones llegaron a ser muy populares, y cada vez recibía más invitaciones para pronunciar conferencias.

Fue en esa época que descubrí algo dentro de mí que no sabía que tenía: Desarrollé mi habilidad de utilizar las palabras para comunicar. Algo un tanto opuesto a simplemente hacer música. Descubrí que tenía dicha habilidad y dado que era común aparecer frente a grupos de personas, no sentía temor al hacerlo. Cada vez hablaba más ante agrupaciones de estudiantes. Y de los programas escolares pasé a recibir invitaciones para hablar ante colectividades y asociaciones de docentes; también me llamaban para hablar en grupos de iglesias o en eventos religiosos, en esas ocasiones los asistentes me preguntaban si podían llevar mi mensaje de inspiración y esperanza a sus lugares de trabajo. Hubo invitaciones de parte de organizaciones como Verizon, Martin Marietta y Marriott; también solicitaban mis servicios agencias gubernamentales como el Departamento de Transporte, la Administración de Seguridad Social y la Oficina del Censo. En tan solo un año, había dejado mi trabajo en la universidad y me había dedicado de tiempo completo a mis charlas.

Poco tiempo después de iniciar en mi nueva profesión, Les Brown, el "Decano de los discursos sobre motivación", me escuchó hablar y cantar, me invitó a presentar el acto inaugural en su *Music and Motivation Dream Team Tour*. Este tour presentaba a Les Brown, Billy Preston y Gladys Knight, ellos habían estado buscando un acto de apertura que combinara los dos elementos, música y motivación, ¡y yo tuve la oportunidad de estar ahí!

Como resultado de nuestra gira con Les y Gladys, tuve la posibilidad de conocer a un buen número de gerentes de emisoras de radio, a quienes les mencioné que yo había sido cantante de comerciales y que había grabado comerciales de un minuto de duración, de modo que les pregunté si estarían interesados en adoptar un nuevo formato de programa radial llamado "El minuto de Willie Jolley". Uno de esos ejecutivos pensó que aquello era buena idea, de modo que empezamos a grabar los programas de un minuto y comenzamos a transmitirlos al aire: "El minuto de Motivación de Willie Jolley" fue un verdadero éxito. Después de sólo un año, yo estaba siendo escuchado en las ondas de radio en todo el territorio de los Estados Unidos.

Cierto día, un editor llamó, era alguien que había estado escuchando los mensajes del minuto motivacional, le gustaron tanto que me preguntó si yo estaría interesado en compilar algunas de esas ideas en un libro, a lo cual le respondí que lo pensaría; entonces me hizo una oferta comercial y yo rápidamente le contesté: "¡Acabo de decidirlo!". ¡Empecé a escribir el libro ese mismo día!

Así fue como surgió mi primer libro, *Sólo toma un minuto cambiar su vida*, y rápidamente se convirtió en un *bestseller*, ya se ha traducido a muchos idiomas y fue un éxito de ventas en Australia, China, Japón, África e India. Mi segundo libro, *El Reto: Toda caída nos prepara para una victoria aún mayor*, fue publicado pocos años después, también se ha convertido en un *bestseller* e igualmente se ha traducido a varios idiomas. *"Dare 2 Dream, Dare 2 Win" (Atrévete a soñar, atrévete a ganar)* es un video en vivo que se grabó en una escuela secundaria después de la masacre de Columbine, en el mismo —uno de los más vendidos sobre el tema— se explican los programas de prevención de la drogadicción y la violencia para los adolescentes de los Estados Unidos.

En el año 1999, casi una década después de haber iniciado mi carrera en la oratoria pública, recibí una llamada de Toastmasters International, en la que me informaron que ese año había sido nominado como "Uno de los cinco oradores más sobresalientes en el mundo". Seis años después, en el 2005, fui inscrito en el Salón de la Fama de los conferencistas de motivación personal. ¡Y pensar que todo esto ocurrió porque fui despedido y reemplazado por una máquina de karaoke!

¿Qué lección he aprendido de todo esto? Que el cambio nos sucede a todos y un giro en el camino no significa que sea el fin de ese camino, ¡a menos que nos rehusemos a cambiar! Por favor, deténgase aquí un momento y repita conmigo: "¡El cambio es bueno cuando tu actitud es la mejor!".

Pruebe a decirlo una vez más: ¡El cambio es bueno cuando tu actitud es la mejor!

Decida ver el cambio desde una perspectiva positiva. Recuérdelo: El cambio no es un enemigo, ¡es un aliado! Sin embargo, la decisión será siempre suya.

4

LA CLAVE No. 3 DE LA ACTITUD DE EXCELENCIA: TRABAJO CENTRADO EN EL EQUIPO

Benefíciese del trabajo en equipo. Quienes piensan como un equipo y trabajan unidos como tal, son quienes ganan en equipo. Tenga siempre presente que en los grandes equipos sus miembros se cuidan mutuamente, se respaldan unos a otros y se animan unos a otros. Todo el mundo es un IAV (Integrante Altamente Valorado), y esto es cierto porque la cadena es tan fuerte como lo sea su eslabón más débil.

La definición de felicidad en la Antigua Grecia era la de utilizar la plenitud de sus facultades a través del filtro de la excelencia.

—John F. Kennedy

Las grandes cosas no se hacen por impulso, más bien se logran mediante la concentración de pequeños esfuerzos.

—Vincent van Gogh

LA FUERZA DE UN EQUIPO

Las grandes organizaciones cinco estrellas entienden el potencial de trabajar en equipo y reconocen que para maximizar el impacto del equipo, los individuos que lo conforman deben trabajar como las piezas bien lubricadas de una máquina. Lance London, gran empresario y dueño del imperio de restaurantes Carolina Kitchen, con sede en el condado Prince George de Maryland, se está convirtiendo en el rey de los restaurantes "al estilo casero" en todo el país, él ha construido su negocio enfocándose en suministrar excelente comida y servicio mediante el concepto del trabajo en equipo. Yo lo he invitado a mi programa radial en un buen número de ocasiones y él ha llegado a ser conocido por la impactante frase que suele decir a sus empleados: "¡Se requiere del trabajo en equipo para hacer que el sueño funcione!".

Los líderes de estas organizaciones cinco estrellas también entienden un hecho importante: Nadie es una isla ni puede sobrevivir por sí solo. Para lograr el éxito en los negocios y en la vida, uno debe hacer el compromiso de conformar un equipo ganador. Para citar un ejemplo, hemos visto durante las últimas temporadas de fútbol americano a equipos con muy pocas superestrellas, aquellos que han salido victoriosos no están conformados precisamente por superestrellas, pero cuentan con jugadores comprometidos que, aunque no tienen un apellido reconocido, ganaron porque decidieron pensar del siguiente modo: "El equipo primero". Y dado ese compromiso, con frecuencia superan a otros equipos que tienen en su nómina a jugadores de renombre.

Vince Lombardi aseguró: "Los grandes equipos hacen tres cosas para ser ganadores: Sus miembros cuidan unos de otros, se respaldan unos a otros y se animan unos a otros". Si usted desea formar una organización cinco estrellas, entonces es prioritario que se comprometa a conformar un grupo que piense que el equipo va primero y que los logros individuales van en segundo plano.

LOS BENEFICIOS PERSONALES
DEL TRABAJO EN EQUIPO

Todos hemos oído decir que en inglés el axioma T.E.A.M. (equipo) significa "cuando todos están juntos logran más". En el concepto de equipo no hay lugar para individualidades. No obstante, creo que el asunto va más allá de estas frases bien pensadas. Todo el mundo tiene metas y sueños individuales que pueden conectarse con las metas y sueños de la organización, la clave está en que los líderes deben promover una filosofía que haga crecer y prosperar al equipo, para que también lo hagan quienes lo componen. Al mismo tiempo, los líderes necesitan inspirar al equipo para que puedan ver cómo beneficiarse personalmente del éxito del equipo como conjunto.

Este enfoque resulta evidente en la historia de un hombre joven de Carolina del Norte llamado Michael Jordan, quien fue escogido para jugar con el equipo Chicago Bulls. Cuando Jordan se unió al equipo, se convirtió en una máquina de anotaciones y en un éxito instantáneo, podía anotar todas las veces que quisiera hacerlo; para probarlo, siempre fue líder en la liga de anotaciones. No obstante, el equipo nunca pudo ganar un campeonato porque se trataba de un equipo conformado por un solo hombre. Sin importar cuantos puntos anotara Jordan para los Bulls, el otro equipo anotaba más puntos porque básicamente era un hombre jugando contra un equipo de cinco jugadores. Y a pesar de que Jordan fue un gran jugador en la defensa, no podía defenderse de cinco jugadores. Los oponentes entraban en la cancha, hacían pases con el balón y superaban a los Bulls en anotaciones. Y aunque había otros cuatro jugadores en el equipo de Jordan, nunca jugaron como un equipo sino que jugaban como cinco individuos en la cancha, cada uno con su propio juego. Como resultado, los Bulls no ganaron muchos encuentros.

Después de varios partidos con resultados similares, los Bulls trajeron a otro entrenador que tenía una nueva forma de pensar: El enfoque del juego en equipo. El nombre de este entrenador era Phil Jackson y su primera tarea consistió en convencer a Michael Jordan, luego al resto del grupo, de que el equipo que piensa como tal y que trabaja como tal, es el equipo que gana.

Jackson compartió tiempo personal con Jordan y le insistió en los méritos de pensar y trabajar como un equipo, le aconsejó que si el equipo ganaba, también él, Jordan, se beneficiaría con la victoria. En ese tiempo, Jordan era uno de los jugadores mejor pagados de la liga.

Jackson vinculó a otras personas de diferentes áreas de especialización con el propósito de conformar un equipo nuevo. Algunos eran expertos en manejar la pelota, otros eran defensas muy hábiles y los demás, excelentes anotadores de tres puntos; al mismo tiempo, todos ellos entendían que si mantenían al equipo enfocado y hacían de forma eficiente el trabajo que les correspondía a nivel individual, el equipo podía ganar.

Fue así como el equipo Chicago Bulls pudo ganar tres campeonatos. Luego, Jordan se apartó del baloncesto para jugar béisbol por un tiempo; pero cuando regresó a los Bulls, ganaron otros tres campeonatos. Después Jordan se retiró de nuevo y el entrenador Jackson hizo lo propio para buscar otros intereses. En el momento en el que Jordan se fue, sus ingresos personales eran aproximadamente diez veces más altos de lo que recibía antes de que su equipo empezara a ganar. En la medida en que el equipo ganaba, Jordan también lo hacía. Si usted logra pensar en equipo y trabajar en equipo, entonces podrá ganar en equipo, de esta manera podrá beneficiarse personalmente del éxito del equipo.

Aquí debo puntualizar que, aunque es probable que usted no obtenga más dinero cuando su equipo particular gane, puedo asegurar que cuando su equipo crece, usted también lo hace. He tenido la oportunidad de trabajar con un buen número de agencias gubernamentales que han experimentado un cambio positivo importante en términos de productividad y desempeño después de que su personal ha asistido a mi programa de entrenamiento. Cuando vuelvo a visitarlos en sus instalaciones, siempre me sorprende escuchar las historias que estas personas cuentan con respecto al impacto que tuvo este concepto en ellos, tanto a nivel familiar como en sus actividades laborales.

Aquí hay otra perspectiva para analizar: "Lo que hace la diferencia no es tanto la meta que se alcanza sino lo que uno llega a ser durante el proceso". A medida que el equipo crezca y progrese, ¡usted también hará lo mismo!

Una persona a la que se le enseña una actitud positiva, puede desarrollar aptitud. Si usted entiende la secuencia de "bueno, mejor, excelente, nunca la abandone hasta lograr que lo bueno se haya hecho mejor y hasta que lo mejor llegue a ser excelente", entonces podrá desarrollar el conjunto de habilidades que le ayuden a crear una reputación de excelencia. Desarrollar una actitud de excelencia y la decisión de desarrollar una aptitud o un conjunto de habilidades que lo lleven al grado de excelencia deseado, son dos partes cruciales de un equipo que gana en todos sus torneos.

CÓMO CONFORMAR UN EQUIPO COMPACTO

Uno de los desafíos recurrentes en el proceso de desarrollar organizaciones de excelencia es el de armonizar a personas diferentes con antecedentes diversos y personalidades distintas en una unidad cohesiva y homogenizada. Un elemento importante del viaje al éxito, que con frecuencia se subestima, es el hecho de aprender a ganar con personas que son diferentes entre sí, algunos llaman a esto inclusión; no obstante, quienes entienden la ciencia del éxito lo denominan "empresa rentable".

La línea de diferencia en el proceso del éxito es que el asunto no se trata de colores, etnicidad, género o cualquier otra variedad. Se trata más bien del negocio y de mejorar el desempeño y la productividad de la gente de la organización. En una de las muchas entrevistas que he conducido con empresarios exitosos sobre el tema de la diversidad, un presidente corporativo observó: "El número de personas con colores y orientaciones diferentes está creciendo rápidamente. Yo no considero que la diversidad sea un asunto de kumbaya (simple integración), sino más bien, es un asunto de estrategia comercial inteligente... y lo mío son los negocios".

Las palabras *diversidad e inclusión* son criticadas y marginalizadas con frecuencia porque durante mucho tiempo se han asociado con un concepto de "aceptación forzada", en vez de ser consideradas como un asunto de buenas prácticas comerciales que pueden impactar positivamente la productividad y el renglón de las ganancias. Hace algunos años, se me solicitó ser el orador de conclusión de la Conferencia Anual sobre Diversidad, de la Sociedad de Gerentes de Recursos Humanos; aunque por lo general yo hablo sobre la diversidad, ellos habían escuchado mi mensaje acerca de la actitud de excelencia y me solicitaron que lo compartiera. Mientras preparaba el discurso, me entrevisté con algunos expertos de diferentes áreas en el tema de la diversidad, y a medida que recopilaba información sobre la misma, me sentía más intrigado.

Un experto me comentó que el poner en práctica un plan de diversidad es realmente una labor del tipo "misión imposible" debido a que muchos ejecutivos que son enviados a atender entrenamientos sobre diversidad se previenen antes de ir con la idea de que no van a poner en práctica ningún concepto de diversidad que se les muestre. Ellos simplemente sueltan anclas y se quedan estancados sin querer cambiar en ese tema. En esencia, hay mucha duda y hasta negación con cambiar y operar de manera diferente.

Quienes lideran el tema de la diversidad deben ser pacientes, discretos y enseñar a otras personas a darse cuenta de que esta nueva forma de pensar puede traer un impacto positivo en sus vidas y en sus ingresos. Joe Watson, autor del libro *Without Excuses: Unleash the Power of Diversity to Build Your Business*, escribió: "La diversidad es como la gravedad, está en todas partes. Por lo tanto, es un tema que está más allá de toda disputa o debate. El desafío de aprovechar apropiadamente la diversidad y la inclusión es un tema inconcluso".

Además, Watson afirma: "Crear una fuerza laboral diversa no es un asunto de "ser agradable" sino más bien, de producir resultados. En la presión de la competencia global y de los mercados emergentes debemos mirar y valorar todas las posibilidades para continuar expandiéndonos y para hacer que los negocios crezcan; la diversidad y la inclusión también son asuntos a los que les compete utilizar todas las posibilidades a nuestro alcance para la innovación, y eso tiene mucho sentido en términos de ganancias".

En mis discursos, comparto una anécdota que me remonta a mis días como cantante, cuando dividía a la audiencia en dos grupos y les enseñaba a cantar jazz. Yo les pedía a los asistentes que estaban a mi derecha que repitieran conmigo el siguiente estribillo: "Do Wop!". Luego hacía que quienes estaban a mi izquierda cantaran el estribillo: "¡Do Da!". Esta estrategia la utilizo en todas mis charlas. Después de enseñar a la audiencia sus "partes", les digo por qué es importante esta canción de jazz, se trata de un mensaje sobre cómo desarrollar una actitud de excelencia y construir excelentes equipos de trabajo.

Así es como me dirijo a cada uno de los lados del auditorio y hago que ellos canten sus partes en forma de llamado–respuesta. Al final, agrego como base un coro a capela y los invito a que todos canten de forma colectiva mientras hacen tronar sus dedos y, ¡listo! Tenemos una canción hermosa. A continuación les menciono que el jazz es un idioma musical creado en América por los afroamericanos. Les explico por qué creo que es importante aprender más sobre la cultura afroamericana, pero no me detengo allí. Como americanos, necesitamos aprender más de los asiático–americanos, de los latinoamericanos, de los judío–americanos, de los ítalo–americanos, de lo árabe–americanos y de los europeo–americanos, es decir, de todas aquellas personas que hacen parte de América.

Y, ¿por qué hago esto? Es posible que hayamos venido en barcos diferentes, pero ahora estamos en el mismo barco, de modo que necesitamos aprender a remar en el mismo sentido. Al final de mis presentaciones les pregunto: "¿Ven alguna banda conmigo aquí en el podio?". Ellos contestan: "No". Pero todos reconocen que hemos producido música. Hemos experimentado que cuando personas de diferentes edades, colores, religiones, género, orientación y educación, trabajamos juntas, podemos crear música. Lo mismo sucede con una orquesta sinfónica, en ella los instrumentos separados pueden producir sonidos individuales, pero juntos pueden crear armonía.

Trabajar juntos de forma armónica produce el éxito y una sinfonía maravillosa. Por otra parte, cuando nos distraemos con las diferencias y trabajamos uno en contra del otro, producimos disonancia y ruido. Recomiendo que todos aprendamos a trabajar, a cantar, a jugar y a prosperar juntos.

CÓMO CONSTRUIR CONEXIONES SÓLIDAS

El siguiente paso en el proceso para construir un equipo sólido consiste en comprender que si quieren llegar a ser grandes, deben fortalecer la cadena de tal forma que el eslabón más pequeño sea tan fuerte como el más grande, y que cada uno debe estar vinculado con los otros de manera segura y sólida.

Este tipo de conexión requiere del desarrollo de una relación que sea confiable y segura entre los diferentes eslabones.

Dentro de una organización todos los individuos deben comprometerse a desarrollar una conexión fuerte con los demás miembros del equipo, de modo que puedan colaborar juntos para alcanzar un éxito mayor; también deben decidir qué es lo que quieren *ganar*, y por lo tanto, superar los temas y agendas individuales. Esto implica tomar la decisión consciente de comunicarse correctamente entre sí, unos con otros, y evitar hablar "de" o "sobre" los otros.

Refiriéndonos una vez más a los Bulls de Chicago, casi todo el mundo sabe que hubo un jugador cuyo nombre era Dennis Rodman, quien antes de llegar ahí no era conocido precisamente por trabajar en equipo; Rodman jugaba de forma individualista, lo que muchas veces resultó perjudicial en los equipos para los cuales jugó, entre ellos Detroit Pistons y San Antonio Spurs; sin embargo, las cosas cambiaron cuando Rodman fue a jugar con el equipo de Chicago y se convirtió en un jugador con sentido de compromiso. Aunque en su tiempo libre se daba "una cana al aire" de vez en cuando, al momento de vestir el uniforme de los Bulls se convertía en un jugador comprometido con el equipo.

¿Qué provocó el cambio en el comportamiento de Rodman? Fue la filosofía de los Bulls con respecto a la importancia del juego en equipo. En los anteriores, en vez de recibir estímulo, Rodman había sido criticado por sus compañeros; pero cuando empezó a jugar para los Bulls, se le recordaba constantemente que los miembros individuales del equipo recibían beneficios personales cuando éste ganaba. Si él regresaba a sus viejos patrones de comportamiento, se le recalcaba que era un miembro valioso e importante del grupo, se le manifestaba aprecio y se le hacía énfasis en que éste necesitaba de su contribución para poder ganar.

Y no era sencillamente el hecho de que se le recordara. Lo significativo era *la forma* en que se enfatizaba la importancia de jugar en equipo. No se hablaba a sus espaldas ni se le enviaban memorandos degradantes. En vez de eso, los entrenadores y sus compañeros se tomaban el tiempo para sentarse con él y conversar, frente a frente, y le dejaban saber que era una persona valorada e importante para el desempeño del equipo. Luego de estimularlo, a Rodman se le hacían críticas constructivas y ello hacía que para él fuera más fácil asimilar el consejo, en vez de asumir la tradicional posición defensiva.

Muchas personas no se integran en un equipo porque sienten que no son tratados como iguales y porque no se sienten apreciados. Y con frecuencia la gente se entera sobre sus debilidades mediante memos o conversaciones de corrillos, que a través de la comunicación franca y abierta de parte de un representante del equipo. El no hablar de frente con las personas puede revelar de qué está hecha la moral de una organización. Es supremamente importante que en todos los niveles de la organización exista una comunicación franca y abierta en la que se aborden las preocupaciones sin tener que recurrir a las habladurías de pasillo.

Steven Gaffney, autor del libro *Honesty Works: Real–World Solutions to Common Problems at Work and Home*), es miembro de mi Grupo de Oradores Mente Maestra, esta es un colectividad que se reúnen cada tres meses para compartir ideas sobre asuntos de crecimiento y desarrollo tanto personal como comercial. Steven es uno de los mejores expertos en el tema de la comunicación franca y honesta en América, y en su libro menciona que más del 70% de las personas encuestadas en las organizaciones con las que trabaja —la mayoría de las cuales atiende asuntos de alto nivel—, dicen que con frecuencia retienen información o no dicen la verdad. Muchas de estas empresas contratan los servicios de Steven para que las ayude a cambiar de rumbo y para corregir el descenso de sus ingresos.

Steven dice que generalmente la raíz del problema de la productividad y la rentabilidad es la falta de comunicación franca y abierta. Y no sólo es el tema de la verdad contra la mentira, sino también el de retener información y el de las conversaciones a espaldas de las personas. Adicional a esto, la falta de comunicación conduce a generar metas y expectativas confusas. Una vez que Steve trabaja con las compañías en el tema de la comunicación franca y abierta, ocurre una mejora sustancial en el desempeño y la rentabilidad de las mismas.

Por lo tanto, para poder trabajar en colaboración y de forma exitosa es necesario cooperar. Steven escribe: "Con frecuencia el asunto radica no en lo que los miembros del equipo dicen sobre el problema, sino más bien en lo que no dicen". La clave está en revelar lo que no se dice, por ejemplo, cuando hay personas que no se desempeñan bien, sus compañeros hablan a sus espaldas y le dan vueltas al asunto, en vez de hablar directamente y entre sí. Si la gente no está consciente del problema, no podrá arreglarlo. Esto es algo que resulta tóxico para el equipo de trabajo y para el crecimiento del negocio.

Para que una organización desarrolle una cultura de comunicación honesta, han de ocurrir tres cosas:

1. Todo el mundo debe estar consciente de los problemas. Esto es importante porque no se puede arreglar lo que uno ignora que no funciona.

2. Los líderes deben ser modelos de la buena comunicación. Muy a menudo ocurre que los líderes dicen correctamente todo lo que hay que hacer, pero no hacen las cosas de la forma correcta.

3. Los empleados deben desarrollar su habilidad para traer a colación los temas difíciles, y deben estar dispuestos a ser honestos y francos, pero a la vez prudentes, cuidadosos y considerados.

La comunicación abierta y honesta puede transformar una organización y puede lograr que los equipos dentro de ésta crezcan, incluso en los momentos más difíciles.

Otro elemento clave para construir equipos exitosos es demostrar aprecio genuino por lo que otros hacen, es decir, hacer saber que se valoran las acciones de los demás; esta es una herramienta muy valiosa para construir una organización ganadora. Dicho aprecio puede generar un impacto muy fuerte en el éxito y en las ganancias a largo plazo. Yo pienso que muchas veces la gente se va a dormir en la noche con un sentido de vacío, y no por causa del alimento, sino vacío de aprecio.

El aprecio se puede demostrar con actos sencillos, por ejemplo, hace algunos años, iba retrasado a tomar un vuelo en el Aeropuerto Internacional de Dulles, cerca de Washington, D.C. Salí de afán de la oficina (algo común para mí) intentando llegar al terminal aéreo en la hora pico de la tarde. Mientras iba en camino, y sin saberlo, Shirley —mi asistente— llamó a la aerolínea para solicitar si podían retrasar un poco la salida de mi vuelo. Ella desconocía el arreglo que yo tengo con las aerolíneas: Si no estoy cuando es el momento de abordar, pueden irse sin mí. Después de comunicarse con el aeropuerto, mi asistente me llamó al celular y me dijo: "Willie, llamé al aeropuerto para chequear tu vuelo y me dijeron que está retrasado una hora. Puedes estar tranquilo". Antes de que ella colgara, le dije: "Estupendo, ¡esto es asombroso! No tendré que conducir como un loco ¡y hasta puedo detenerme para tomar un café! A propósito, quiero dejarte saber que realmente te aprecio". Colgué el teléfono, me detuve por un café y llegué al aeropuerto con suficiente tiempo para esperar.

Días después, cuando regresé a mi oficina, había un arreglo de rosas sobre mi escritorio. Asumí que estas venían de algún cliente, pero cuando leí la nota, encontré que Shirley la había firmado. Completamente perplejo, le pregunté por qué me había dado las rosas. Ella contestó rápidamente: "Willie, antes de venir a trabajar aquí, había trabajado en un mismo lugar por más de 10 años. Nadie, ni siquiera en una sola ocasión, me dio las gracias".

¡Caray! ¡Qué tremenda lección tuve ese día! Aprendí que una sola expresión de aprecio puede cambiar vidas y animar e inspirar a los miembros de tu equipo para continuar esforzándose aun en los tiempos difíciles. Si uno expresa su aprecio "con regularidad" y de manera genuina, encontrará que su equipo se fortalecerá cada vez más.

Otro asunto que debemos considerar es el hecho de que todas las personas, en todas las organizaciones, van a pasar tiempos difíciles en su vida personal, en esos momentos es que uno debe interesarse por los demás y respaldarlos. Cada uno de nosotros tiene problemas y enfrenta asuntos personales a lo largo de la vida. Por eso es que creo que todos los miembros de un equipo tienen dos trabajos. Sí, así es, ¡dos trabajos! El primero es el trabajo con la organización y el segundo cuando llegan a casa, en este último deben atender a sus padres —que a veces enfrentan problemas físicos o emocionales—, a sus cónyuges y a sus hijos, niños o adolescentes.

Yo no sé qué desafíos enfrentan las personas en casa, pero sí sé que todo el mundo hace frente a cuestiones que tienen impacto en su vida y que no sólo se preocupan por los asuntos laborales, sino también por los personales. Habrá momentos en los cuales enfrentaremos situaciones tan dolorosos que ni siquiera tendremos el ánimo suficiente para referirnos a ellas, en esos momentos necesitaremos el apoyo de los compañeros de nuestro equipo de trabajo.

Hace poco me llamó un amigo, un ejecutivo muy exitoso. Su única hermana recién había fallecido y necesitaba un momento para hablar conmigo. Él sabía que yo entendería lo que estaba pasando porque yo mismo había perdido a mi madre y a mi único hermano en un lapso de 25 días en el año 2003. Yo le expresé cómo había enfrentado ese tiempo tan difícil y compartí con él algunas ideas que podían ayudarlo a sentirse tranquilo.

En aquella conversación él me dijo que este era el momento más difícil de su vida y que le resultaba muy complicado concentrarse en el trabajo. Al principio, no le contó a su jefe su situación; sin embargo, su superior vino y le preguntó si todo iba bien en casa porque notaba que no estaba trabajando con la eficiencia acostumbrada. Entonces, mi amigo le contó sobre la pérdida de su hermana, aquel le preguntó si necesitaba algún tiempo libre o si podía hacer algo más para ayudarle a sobrellevar ese tiempo difícil.

Mi amigo decidió continuar trabajando, se dio cuenta de que si permanecía en casa, continuaría pensando en su hermana y lloraría su muerte durante todos los días. Él deseaba permanecer en el trabajo y aunque su desempeño no fuera el mejor, se esforzaría. Su jefe y su equipo lo rodearon y lo respaldaron. Luego, mi amigo me comentó cuánto apreciaba a su jefe y a sus compañeros. Él sintió que ellos fueron mucho más allá del simple cumplimiento del deber.

Por mi parte, no creo que sus compañeros de trabajo hayan ido más allá del cumplimento del deber, ellos hicieron lo que los grandes equipos hacen: Se respaldan, se cuidan y se animan unos a otros. Todos nosotros vamos a tener días difíciles durante los cuales enfrentaremos desafíos dolorosos, en esos días necesitamos el apoyo de nuestros equipos para poder atravesar las etapas difíciles de la vida.

Para complementar lo anterior, les contaré que hace años leí un artículo sobre el trabajo en equipo que informaba sobre las lecciones que podemos aprender de los gansos. Ellos vuelan en forma de *V* porque tienen una meta: Como equipo, saben a dónde se dirigen; también vuelan en *V* porque saben que si trabajan y vuelan juntos, pueden llegar más lejos y más pronto, haciéndolo así, el esfuerzo es menor al que tendrían que hacer si volaran individualmente. Entre más duro trabajan juntos, mejores resultados obtienen.

El artículo explicaba que los gansos a veces vuelan con el

viento y otras en contra del viento, en el primer caso, el ganso que va en la punta de la V tiene el trabajo más difícil porque debe cortar el viento de frente; no obstante, lo interesante es que los gansos rotan su posición, todos los miembros del grupo se ubican algún tiempo en la posición principal y esto no sólo les permite a cada uno tener la oportunidad de descansar de los desafíos que imponen los vientos frontales, sino que —y más importante aún— les permite tener la oportunidad de fortalecerse.

¿Fortalecerse? ¿Cómo así? En el proceso de volar a contraviento, los gansos robustecen sus alas, tal como los humanos levantamos pesas para fortalecer nuestros músculos. Un viejo dicho asegura: "Entre más fuerte sea la brisa, más fuertes serán los árboles", lo cual significa que mediante las adversidades crecemos y nos fortalecemos.

Otro dato interesante sobre una bandada de gansos es que ellos tienden a hacer mucho ruido cuando vuelan, este ruido puede llegar a ser tan alto que podemos escuchar su graznido a una gran distancia. Hace poco estuve en Williamsburg, Virginia, una tarde escuché muchos graznidos, cuando levanté mi vista, vi a una bandada de gansos volando hacia mí en forma de V. A medida que pasaban, me di cuenta que estos no estaban graznando sólo por pasar el tiempo, sino que se estaban *comunicando* unos con otros y se estaban *animando* unos a otros.

"¡Adelante, Greta, estoy cubriendo tu espalda!".

"¡Sigue venciendo esos vientos, George! ¡Sabemos que puedes hacerlo!".

De todo lo anterior podemos concluir que los grandes equipos se animan unos a otros. Y tengamos presente siempre que no se trata de hablar de los demás, sino de hablar entre sí.

Si usted desea conformar una organización cinco estrellas, deberá desarrollar el poder del equipo. Cuide de sus compañeros, respáldelos y esfuércese por animarlos. Hacerlo le ayudará a ganar de forma más rápida y con más frecuencia. El entrenador Lombardi tenía razón: ¡Los grandes equipos cuidan unos de otros, se respaldan y se animan!

5

LA CLAVE No. 4 DE LA ACTITUD DE EXCELENCIA: SORPRENDER CON EXCELENTE SERVICIO AL CLIENTE

Impresione al cliente con un excelente servicio y su negocio crecerá. A medida que usted capacite a su personal, este aumentará su potencial para proveer un mejor servicio. La gente competente tiende a ofrecer un excelente servicio. Recuerde que los mejores líderes siempre son óptimos servidores.

¿Usted desea ganar más? Si la respuesta es afirmativa, la siguiente pregunta es: "¿Cómo se puede ganar más?". Con el fin de ganar más, debemos pensar y hacer las cosas de forma diferente. Para ello, analicemos el concepto de *ganar* desde una perspectiva diferente. Tradicionalmente se ha pensado que el hecho de ganar se relaciona con el éxito personal o con obtener una ganancia sobre otra; sin embargo, existe otra perspectiva que debemos considerar.

Las organizaciones cinco estrellas han expandido la definición de *ganar*. El compromiso es ganar. En inglés esta palabra se compone de tres letras: W–I–N, y con ellas se puede construido el acróstico *"Whatever Is Necessary"*, es decir, *hacer lo que sea necesario* para servir al cliente; ello se deba a que las empresas entienden que el servicio al cliente tiene un efecto importante y es la clave para obtener ventaja sobre los competidores. El compromiso que usted demuestre tener para ganar (W–I–N), hacer lo que sea necesario, es el elemento más importante para crear una historia de éxito.

Para lograr lo anterior, las organizaciones cinco estrellas consideran que el servicio de excelencia es la clave para construir el éxito a largo plazo y permanentemente se enfocan en servir a sus clientes de una mejor manera, así que con frecuencia se preguntan: "¿Cómo podemos mejorar el servicio que estamos prestando hoy?", "¿qué clase de servicio me gustaría recibir?". En cuanto a este punto, el presidente de un *resort* cinco estrellas alguna vez me dijo: "Estamos creando un servicio tan superior en cuanto a calidad, que nuestra competencia sencillamente queda avergonzada".

Aquí no me refiero al servicio al cliente, sino que estoy hablando del óptimo servicio al cliente, es decir, aquel que haga que ellos queden asombrados y digan: "¡Esto es excelente!". Y si hacen una afirmación similar para sí mismos, también pueden decírsela a sus amigos. El servicio al cliente que es de clase superior, es el gran secreto del éxito de las organizaciones cinco estrellas.

EL SERVICIO ES UN HONOR

Mientras me encontraba de gira en Japón, tuve una experiencia que cambió mi forma de pensar con respecto al increíble poder del servicio al cliente. A veces son las cosas pequeñas las que logran el impacto más grande. He descubierto que algunas lecciones de vida importantes pueden ser bastante simples.

A continuación les contaré una anécdota que me sucedió cuando estaba en mi segunda gira en Japón, país al que asistí con el propósito de hablar a los miembros de la Marina de los Estados Unidos (los soldados, sus familias y sus hijos, que estaban desplegados en Irak y Afganistán, y a los trabajadores de las bases). Al final de nuestra gira en Okinawa, mi esposa y yo habíamos programa un viaje a la capital de Corea, Seúl. Cuando llegamos al aeropuerto de Nagasaki para tomar nuestro vuelo, una representante de Korean Air salió a nuestro encuentro, se inclinó en el momento en que entramos, tomó nuestros tiquetes y nos dijo: "¡Hola! ¡Los estábamos esperando!".

Ante ese gesto, yo me volví hacia mi esposa y le dije: "¡Esto es fantástico! Debe ser porque fui el orador o porque tenemos tiquetes de clase ejecutiva". La mujer nos llevó a través de seguridad y nos encargó con otra representante de la aerolínea, quien también dijo: "¡Los estábamos esperando!", y nos ayudó a registrar nuestro equipaje. Luego vino otra funcionaria de la misma aerolínea a decirnos que nos acompañaría hasta el lugar conocido como al área de espera VIP.

En ese momento, mientras caminábamos a la zona VIP, nos sentimos súper especiales. Para entrar en esa área teníamos que atravesar el mismo trayecto por donde habíamos visto a la primera mujer que nos encontramos, a medida que pasábamos, vimos que le decía a otro grupo: "¡Los estábamos esperando!". Entonces, notamos que les decía lo mismo a todas las personas que llegaban, y cuando nos acercamos a la sala de espera VIP, descubrimos que esta era la sala de espera para todos los pasajeros.

Mientras estábamos en aquella área de recepción junto con los demás pasajeros, el personal de la aerolínea nos trajo galletas, pequeños sándwiches y bebidas colas. Todos estábamos impresionados con el servicio, pero poco nos imaginábamos que lo mejor estaba por venir.

Luego de una corta espera, se nos informó que acababan de llegar otros representantes de Korean Air para llevarnos hasta la ruta de transbordo. Estos funcionarios nos llevaron al segundo punto de chequeo de seguridad, luego a aduanas y nos dirigieron al bus de intercambio. Cuando todos los pasajeros estuvimos listos en el bus y una vez éste se disponía a llevarnos hacia el avión, vimos que las personas que habíamos visto ese día estaban alineadas allí; desde la representante de Korean Air a la entrada del terminal hasta quien nos ayudó con el ingreso del equipaje, desde la persona que nos llevó a la sala de espera, hasta las señoritas que nos acompañaron en la zona VIP. Antes de que el bus iniciara su recorrido, todos ellos se inclinaron ante nosotros y dijeron: "¡Gracias por permitirnos servirles!". ¡Genial! La próxima vez que viaje a Corea, ¿cuál aerolínea creen ustedes que voy a escoger? Sin lugar a dudas elegiré la aerolínea que me hizo vivir una experiencia inolvidable.

La impactante lección que aprendí ese día es bastante simple: ¡Es un honor poder servir a otros! Lo que sea que hagamos para ganarnos la vida, creo que debemos hacerlo con espíritu de servicio, veamos nuestros trabajos más que como simples empleos, debemos considerarlos como un honor y como una oportunidad para servir.

Desde aquella experiencia en Japón, cada vez que doy un discurso lo considero no como un trabajo, sino como una oportunidad de servir. Hace algunos años le escuché decir a alguien la siguiente frase: "El servicio es la renta que pagamos por el lugar que ocupamos en este planeta". Y yo estoy completamente de acuerdo con esa frase. De modo que sin importar cuál sea su empleo, no lo considere como trabajo, ¡considérelo como una oportunidad para servir!

También quiero agregar que el señor Jesucristo enseñó que los grandes líderes son quienes sirven más a otros. No debemos dar servicio al cliente, tenemos que suministrar un excelente servicio al cliente, que sea tan memorable que ellos se vean motivados a decir: "¡Esto es fantástico!". Y que sientan la necesidad de decírselo a todo el mundo. Sin embargo, no podemos detenernos ahí, debemos tener en mente que todos los clientes son valiosos, no importa si tienen un tiquete de primera clase, de clase ejecutiva o económica. Tenemos todo para agradecerles a ellos por utilizar nuestros servicios.

Suministre siempre una experiencia impactante a todos sus clientes. Asegúrese de darles las gracias y de expresarles su aprecio por la oportunidad de servirles. Hacer esto hará la diferencia en el mercado tan complejo y competitivo de la actualidad.

Mi amigo T. Scott Gross, autor del popular libro *Positively Outrageous Service*, dice que en el mercado de hoy en día no podemos conformarnos con ser simplemente buenos, o muy buenos, sino que debemos esforzarnos por proveer un servicio positivamente abrumador. Ese es el tipo de servicio que va más allá de las expectativas, que impacta y asombra a los clientes. De modo que prepárese mentalmente para ganar, es decir, para hacer todo lo que sea necesario con el fin de sorprender a sus clientes ¡con un servicio positivo y abrumador!

LA RESPUESTA ES SÍ, LA PREGUNTA ES: ¿QUÉ DESEA PEDIR?"

Fui a Columbus, en Ohio, para hablar ante la Organización de Recursos Humanos de Ohio Central. Mi amigo Stan Robins me recogió en el aeropuerto y dijo que quería cenar en el restaurante Fish Market, ubicado en el centro de la ciudad; durante la cena se nos unió Mike Frank, anterior presidente de la Asociación Nacional de Oradores, y tanto Stan como Mike mencionaron muchas historias sobre el restaurante y su excelente servicio al cliente, entre ellas que su propietario, Cameron Mitchell, había iniciado una cadena de restaurantes enfocada en ofrecer una excelente comida y un servicio al cliente sin comparación. Su lema es: "La respuesta es sí, la pregunta es: ¿Qué desea pedir?".

Mike nos narró una anécdota con respecto a una noche en la que él y su esposa fueron a ese mismo restaurante, él tenía deseos de comer macarrones con queso, pero ese plato no hacía parte del menú, así que le preguntó a la mesera que los atendía si era posible tener macarrones con queso, aunque no estuviera en el menú y ese tipo de comida no hiciera parte de lo que habitualmente servían; la mesera le respondió: "Sí, ¡podemos hacerlo una realidad!". ¡Y lo hicieron! Ella les dijo a los cocineros sobre la petición, y dado que en ese momento no contaban con los ingredientes necesarios, llamaron a un restaurante que se especializa en macarrones y queso e hicieron una orden. Del restaurante The Fish Market enviaron a un mensajero para que trajera el plato bien caliente. Mike mencionó que el plato estaba estupendo y que había colmado las expectativas. Pero más importante aún, aquello le enseñó una valiosa lección con respecto al servicio al cliente. Las organizaciones que quieren sorprender a sus clientes encuentran la manera de responder con un "Sí" a sus requerimientos.

LOS DIEZ MANDAMIENTOS DEL SERVICIO DE CALIDAD

En las organizaciones que funcionan mediante voluntariado (como es el caso de las iglesias), sólo unos pocos trabajadores han aprendido a desarrollar la habilidad de asombrar a sus clientes mediante el servicio. Con mucha frecuencia vemos a grandes predicadores trabajar duro en el mensaje para inspirar al público, pero dicho mensaje es socavado por el servicio al cliente de baja calidad que ofrecen los trabajadores de la iglesia, quienes a pesar de tener la mejor de las disposición, no han sido entrenados apropiadamente para rendir un óptimo servicio que vaya en consonancia con su gran voluntad.

A continuación les propongo mis diez mandamientos del óptimo servicio, tanto para quienes son empleados, como para aquellas personas que trabajan en el servicio voluntario.

Mandamiento No. 1:
Debes servir teniendo una sonrisa en tu rostro

La mayoría de las compañías hacen énfasis en la frase: "Servicio con una sonrisa". Las escrituras animan a la gente a convertirse en siervos–líderes, y esos siervos deben hacer el compromiso de servir con una sonrisa. ¿Por qué debemos sonreír? Hay un viejo proverbio judío que dice: "La persona que no pueda sonreír no debería abrir una tienda". Sonreír es importante porque una sonrisa puede llegar e expresar sentimientos que las palabras no pueden expresar. Una sonrisa transmite el mensaje: "Me alegra que esté aquí. Deseo ayudarle".

Es posible sonreír incluso en aquellas ocasiones en las cuales uno debe comunicar información que no es del agrado de nuestros interlocutores. Por ejemplo, en algunas mega iglesias he dicho que uno debe sonreír aunque tenga que decirle a algunos feligreses: "Lo siento, no puedes parquear aquí, debes parquear en el parqueadero principal y luego tomar el bus". Si usted aprende a sonreír, incluso para decir no, habrá captado el espíritu de las organizaciones cinco estrellas. Sonría cuando tenga que decir no. Le ayudará a convertirse en un siervo–líder efectivo.

Mandamiento No. 2:
Debes andar la milla extra

Un ingrediente común de las organizaciones cinco estrellas es el andar la milla extra, siempre, constante y consistentemente. Permítanme ilustrar este punto con un ejemplo.

Fui invitado a hablar ante algunas agencias del gobierno en San Diego, esta era la cuarta ciudad que tenía que visitar en una gira por cinco ciudades. Cuando llegué al hotel me sentía terrible, tenía escalofríos y un dolor fuerte en mi garganta. En la recepción del hotel, la mujer a cargo me recibió con una nota de una cena a la cual estaba invitado esa misma noche con mis clientes. Cuando ella se dio cuenta que probablemente yo no me encontraba bien, me preguntó cómo me sentía, yo le respondí que estaba cansado, un poco agobiado por el clima y que iba a tener que cancelar mi asistencia a la cena e ir a descansar, también le dije que esperaba sentirme mejor en la mañana, justo a tiempo para participar en el programa.

Muy poco tiempo después de ingresar a mi habitación alguien tocó la puerta, cuando la abrí, vi al mesero con un gran tazón de sopa de pollo en una bandeja y me dijo, con interés sincero: "Espero que esto le haga sentir mejor y que pueda descansar bien esta noche".

Los empleados del hotel habían andado la milla extra. La sopa era justo lo que necesitaba mi cuerpo agotado por el viaje. A la mañana siguiente me sentía totalmente renovado.

Citando de nuevo el libro *Possitively Outrageous Service*, su autor T. Scott Gross señala: "Una de las claves del éxito al servir a los clientes es hacer el compromiso de siempre ir la milla extra." De forma similar, en el sermón de la montaña, el señor Jesucristo enseñó que siempre debemos hacer el compromiso de andar la milla extra. "Si alguien bajo autoridad te obliga a una milla de servicio, ve con él dos millas". Para crear una organización cinco estrellas, debemos hacer el compromiso de hacer más que simplemente lo que creemos que es necesario. ¡Y no existen trancones cuando andamos la milla extra!

Mandamiento No. 3:
Debes saludar, hablar y ser auténticamente agradable

Muchos bancos, como el Bank of America, el Sun Trust, y el Wachovia, están captando la esencia del servicio de excelencia y están enseñando a su personal la importancia de saludar en el momento en el que el cliente llega al banco. Y por supuesto, el minorista número uno del mundo, Wal–Mart, ha construido su negocio ofreciendo precios bajos y un excelente servicio. En sus puertas siempre hay un funcionario que saluda a las personas que entran a las tiendas. La primera impresión produce un alto impacto.

Las grandes organizaciones no sólo saludan a sus clientes, también les hablan. De acuerdo con los axiomas del servicio al cliente, la palabra *hola* constituye un incentivo muy importante para el crecimiento de los negocios, ¡simplemente esa palabra!

Sin embargo, se debe hacer un compromiso verdadero con el hecho de ser agradable... verdaderamente agradable con los demás. ¿Por qué? La gente recuerda a las personas que son amables, pero aprecia a quienes son auténticamente agradables.

Hace años, tuve el privilegio de pronunciar una conferencia para hombres en la Catedral de Cristal de Garden Grove, en California. Allí no sólo tenían acomodadores que saludaban y hablaban con la gente, sino que se aseguraban de que esos acomodadores fueran realmente agradables. Visité la librería para buscar un libro específico y ¡salí con cinco! En realidad no necesitaba todos los cinco libros, pero la gente era tan agradable que sencillamente no podía salir del lugar, y entre más tiempo pasaba, más dinero gastaba.

Mandamiento No. 4:
Debes agradecer y agradar en gran medida

Uno de los libros de inspiración más famosos dice: "Las

cosas más importantes que uno aprende acerca del éxito, las aprende en el jardín infantil". Este libro declara que las enseñanzas básicas de la vida son las que usualmente se convierten en la clave del éxito a largo plazo. En el jardín infantil se nos enseñó que debemos compartir y llevarnos bien con otros, también aprendimos que es muy, muy importante, decir *gracias y por favor*, y a decir estas palabras con mucha frecuencia.

Con el fin de tener una organización cinco estrellas, es necesario llevárselas bien con diferentes tipos de personas y con personalidades muy variadas. También es muy importante decir con bastante frecuencia las palabras *gracias* y *por favor*, pues éstas obran como un tónico o un lubricante que suaviza las relaciones. Si uno quiere tener un nivel de operaciones cinco estrellas, entonces es un asunto vital demostrar modales cinco estrellas. Haga de los buenos modales su procedimiento estándar de operaciones: ¡Diga muchas veces *gracias* y *por favor!*

Mandamiento No. 5: Debes estar dispuesto a solicitar disculpas y a hacerlo rápidamente

Disculparse con prontitud puede aliviar situaciones potencialmente explosivas y desagradables. Las organizaciones cinco estrellas utilizan el poder de las disculpas y están dispuestas a pedirlas sin ninguna dilación, no las retardan para intentar probar que aquéllas tienen la razón, al contrario, en ellas el cliente siempre tiene la razón. Con mucha frecuencia ocurre que las disculpas se solicitan sólo después de una larga experiencia de confrontación, en la cual no queda otra opción que disculparse. Si el cliente está ofendido o existe algún problema, no conviene fabricar excusas ni asumir una actitud de confrontación, más bien esté dispuesto a decir: "Siento mucho que esto haya sucedido", y hágalo aunque usted no haya tenido la culpa; pero esté presto a subsanar la situación diciendo: "¿Cómo podemos solucionarle este problema?".

Aquí quiero mencionar unas palabras de Bill Cates, quien es uno de los mejores expertos en los Estados Unidos en el tema de los referidos. En su libro *Get More Referrals Now! (Consiga más referidos, ¡Ahora Mismo!)* dice que los clientes que comparten sus problemas y quejas con usted, deberían ser considerados como premios gordos que le pueden ayudar a mejorar su negocio, porque ellos proporcionan claves importantes sobre cómo llevar a cabo el proceso de mejorar. Hablé con Bill y él estuvo muy complacido de compartir el siguiente consejo, tomado de su libro, con respecto al asunto de manejar las quejas que presentan los clientes:

1. Esfuércese por decir: "Lo lamento", y procure hacerlo con prontitud, ya que no cuesta nada decirlo". Eso no significa admitir una falta, simplemente usted lamenta que su cliente esté experimentando un inconveniente.

2. Evite tomar el asunto de manera personal y ponerse a la defensiva. De hacerlo, se sentirá inclinado a expresar excusas, a desafiar la percepción del cliente y con ello no logra nada, además, haría sentir a sus clientes como si usted no estuviera de su lado.

3. Dialogue para evitar discusiones. Nadie ha ganado alguna vez una discusión con un cliente, incluso si "gana" y demuestra que está en lo cierto, en realidad está perdiendo. No se preocupe mucho por quién tiene la razón y quién no. Encuentre una solución al problema.

4. Agradezca a sus clientes por expresar sus preocupaciones ante usted. No hay nada peor que tener un problema que los demás conocen, pero que nadie esté dispuesto a informárselo a usted.

5. Cuando exprese que lo lamenta, demuestre sinceridad, no lo haga sólo como unas palabras que se dicen, sino con verdadero sentimiento.

Para demostrar la importancia de lo anterior, les comentaré el caso de una mujer de California, quien llamó a nuestra oficina porque había comprado uno de mis libros en una librería local; cuando llegó a casa y empezó a leerlo, notó que hacía falta una página. Ella entró a internet, buscó mi información de contacto y llamó a mi oficina para poner de manifiesto la página que hacía falta. El asunto es que esa versión defectuosa había sido producida por mi editorial y había sido enviada a las librerías. Pero resulta que una vez yo terminé de escribir el libro, el asunto estaba técnicamente fuera de mis manos. No obstante, cuando ella llamó, mi personal se disculpó enseguida por el inconveniente y le envió *¡un libro nuevo!* ¿Por qué lo hicieron? Aunque el problema de que faltara una página en el libro no había sido culpa mía, sino responsabilidad de la editorial, *mi nombre estaba en ese libro*. A la gente no le interesa de quién es la culpa, para ellos lo realmente importante es ser escuchados y tratados con respeto. Establezca el compromiso de solicitar disculpas, aunque se trate de asuntos que escapan de su control, y encuentre la manera de remediar el problema tan pronto como pueda.

Mandamiento No. 6: Debes anticiparte

Anticípese a las necesidades de sus clientes. Las organizaciones sobresalientes no sólo responden a las solicitudes de sus clientes sino que las analizan para determinar por adelantado sus próximos pasos o necesidades, de modo que puedan prepararse para responder. A continuación ilustraré este punto con una pequeña experiencia personal:

Con frecuencia me reúno con mis clientes para una comida de trabajo y para hablar acerca de los planes futuros. Por lo general vamos a un restaurante cinco estrellas, uno de ellos es 1789, que se ubica en el área de Georgetown, en Washington, D.C. En este lugar la comida siempre es fabulosa; no obstante, lo realmente alucinante es el servicio, allí no sólo nos atienden sino que están cerca de la mesa para anticiparse a cualquier necesidad. En vez de venir de vez en cuando para llenar los vasos de agua cuando están vacíos, el personal de este restaurante cinco estrellas nunca permite que los vasos lleguen siquiera a estar cerca de vacíos. Si por alguna razón usted se ausenta de la mesa y deja la servilleta en la silla, se la cambian por una nueva, limpian las migas de pan rápidamente y los utensilios usados desaparecen sin que se produzca ruido.

Cito lo anterior para recalcar que las organizaciones cinco estrellas se parecen mucho entre sí, siempre están buscando maneras de atraer a los clientes y de satisfacer sus necesidades antes de que ellos siquiera las mencionen. De modo que usted debe hacer lo mismo, debe buscar nuevas oportunidades de anticiparse a las necesidades de sus clientes, así ¡verá cómo su renombre aumenta y su negocio crece!

Mandamiento No. 7: Debes hacer lo que sea necesario, no lo que sea más cómodo

Para alcanzar el éxito en los negocios y en la vida, es vital ir más allá de nuestras zonas de confort. Si hemos de crecer, debemos estar dispuestos a cambiar y a fortalecernos, mientras esto ocurra, encontraremos nuevos desafíos tanto a nivel externo como interno.

El desafío externo es lo que encontramos cuando intentamos algo nuevo y diferente. Sin embargo, el mayor desafío que encontramos cuando procuramos cambiar es el desafío interno, que se puede sintetizar en un viejo proverbio africano: "Si puedes vencer al enemigo interno, el enemigo externo no podrá hacerte daño"; este desafío, el interno, significa convencerse a sí mismo de la posibilidad de cambiar, fortalecerse y crecer. Para que una organización crezca, se requiere cambiar e ir al siguiente nivel. Y ese cambio siempre traerá consigo algún tipo de oposición.

Por lo tanto, usted deberá comprometerse en hacer lo que sea necesario, no lo que sea cómodo. Yo aprendí esta lección hace varios años cuando comencé a visitar diferentes escuelas en el programa para adolescentes. Cierto día, visité una muy pobre ubicada en el centro de la ciudad, luego de pasar por los detectores de metales, fui conducido a la oficina del rector, donde tenía que hacer sonar un timbre para poder ingresar.

El rector miró a través de la persiana, abrió la puerta y dijo: "¡Apresúrate, entra!", y a continuación me preguntó: "¿Durante cuánto tiempo vas a estar hablando?".

Yo le contesté: "Por espacio de una hora".

Entonces recomendó, de manera tímida: "Si yo fuera usted, sólo hablaría durante 15 minutos. Estos muchachos no pueden soportar un discurso de una hora. La última persona que vino aquí para hablar duró unos 15 minutos antes de que los muchachos se alborotaran".

Luego, mientras disponía mi conferencia ante los estudiantes, me preguntaba cómo podría reducir mi charla a tan solo 15 minutos. Imaginé que podía recortar material sobre la prevención de la drogadicción, la sección sobre el uso correcto de bebidas alcohólicas, y unas recomendaciones para lograr tanto excelencia académica como integridad. Pensé en darles unas cuantas citas motivadoras e irme; pero mientras me alistaba para hablar, una voz interna me dijo: "¿Qué vas a hacer hoy Willie?, ¿vas a hacer lo que es cómodo y no lo que es necesario?".

Algunos de estos muchachos nunca habían escuchado hablar a un orador en temas de motivación, otros ni siquiera habían visto a alguien que viniera de fuera de ese entorno del centro de la ciudad y que hubiera decidido terminar sus estudios; alguien que hubiera desarrollado sus habilidades comunicativas y que hubiera aprendido a tener un efecto positivo en las personas. De nuevo, la voz interna me preguntó: "Entonces, Willie, ¿qué vas a hacer hoy?: ¿Vas a hacer lo que es cómodo o lo que es necesario?".

De modo que empecé a hablar con los muchachos y cuando terminé, cerca de una hora y media después, recibí una atronadora ovación. Allí aprendí una lección valiosa: Para crecer y para hacer la diferencia, debes hacer lo que es necesario, no lo que es cómodo. Es posible que necesitemos sostener una conversación con nosotros mismos con respecto al tipo de acciones que debemos emprender. Todos sabemos que debemos hacer lo que es correcto, pero tenemos que convencernos a nosotros mismos a fin de elegir actuar de la forma correcta. Todos sentimos temores: al ridículo, al fracaso, nos avergonzamos y demás, sin embargo, las organizaciones cinco estrellas se comprometen en hacer lo que sea necesario, no lo que sea cómodo. ¡Nosotros debemos hacer lo mismo!

Mandamiento No. 8: Debes ser responsable

Para convertirnos en líderes efectivos, debemos cultivar todas nuestras habilidades, esto significa estar facultado para emprender la acción que sea necesaria con el fin de ayudar a los clientes sin tener que pedir permiso para hacer lo que es correcto. Ser responsable es dar un paso de fe como líder y ser proactivo al tratar con las necesidades de los clientes. Recuerde, todo el mundo tiene clientes, ellos son nuestra razón de ser para operar en el negocio.

Además, ser responsable significa ir más allá de los títulos profesionales y de las descripciones de un cargo, implica pensar en las cosas que se deben hacer y hacerlas. Recientemente, al visitar la iglesia vi que una acomodadora le traducía el sermón palabra por palabra a una hispana. Entre las funciones del trabajo de la acomodadora no se incluye el servicio de traducción, pero ella tomó la decisión de asumir la responsabilidad y de actuar en consonancia con sus habilidades, y al hacerlo pudo llegar a la invitada de forma que ésta pudiera comprender el mensaje que se estaba transmitiendo.

Así pues, con el fin de crear una organización cinco estrellas, es importante que todos sus miembros asuman las responsabilidades y respondan a ellas según sus habilidades; deben comprometerse no sólo a realizar el trabajo que les corresponde, sino a hacer todo lo que sea necesario para que la totalidad del trabajo sea hecho, y esto aplica sin importar si lo que hay que hacer está en las funciones del cargo o no.

Mandamiento No. 9: Debes aliviar las filas

Quiero dejar claro que a nadie, absolutamente a nadie, le gustan las filas. Si usted está en un almacén, ¿no intenta encontrar la fila más corta? Si usted está en un banco, ¿no le frustra ver que haya filas largas? Si usted está viajando por una carretera, el tráfico está bloqueado y se encuentra con un mar de luces rojas frente a usted, ¿no se lamenta?

Las estadísticas indican que la principal razón por la cual la gente cambia de banco no es por las altas tasas de interés o por algún tipo de preocupación financiera, sino por las filas tan largas. Las organizaciones cinco estrellas siempre están intentado encontrar la manera de aliviar las filas, siempre.

Si las filas no se pueden reducir, entonces los negocios tienen que dar el siguiente paso para aliviar la tensión: Hablar con la gente en la fila, solicitar disculpas por la demora y agradecer a los clientes por su paciencia. Los empleados pueden hacer contacto visual con las personas que esperan en la fila y decirles cosas como: "En un momento estaré con usted".

Algunas organizaciones cinco estrellas reconocidas, como la cadena de Hoteles Gaylord Convention de Nashville y el complejo National Harbor a lo largo del río Potomac en el condado de Prince George, Maryland, saben muy bien cómo manejar este asunto; por ejemplo, cuando se forman filas de salida o de entrada, los miembros del personal caminan a lo largo de la fila y sonríen o hablan con los clientes, además les agradecen por su paciencia, les expresan reconocimiento y les manifiestan que son importantes. Sonreír de esa manera, demostrando con ello un pequeño reconocimiento, puede lograr mucho en ayudar a reducir la ansiedad en una fila. Si usted logra reducir el tamaño de las filas, o al menos la ansiedad que estas producen, aumentará el nivel de desempeño de su organización.

Mandamiento No. 10: Debes practicar el principio Kaisen

Al final de los años cuarenta del siglo pasado, los japoneses se estaban recuperando de la Segunda Guerra Mundial y estaban luchando por su supervivencia. Empezaron a producir artículos para venderlos en el extranjero y siempre los etiquetaban bajo el sello "Hecho en Japón". En aquella época, cuando la gente de los Estados Unidos veía el sello, sabían que los artículos eran de menor calidad y que se podían comprar a un precio económico. Esto continuó ocurriendo del mismo modo en las dos décadas siguientes. No obstante, al final de los años 60, algo cambió.

El gurú de la gerencia, el doctor Edward Demming, fue a Japón y les enseñó a los japoneses un concepto innovador denominado "El principio Kaizen, o el principio C.A.N.E.I." (por sus siglas en inglés), que equivale a la expresión *mejora continua y sin final*; este concepto implica hacer el compromiso de nunca quedar satisfecho con lo que se ha alcanzado, sino más bien continuar superándose a diario. Luego de una década de acoger este principio, los japoneses dejaron de ser los peores a convertirse en los mejores. Los artículos electrónicos japoneses, así como sus vehículos, pasaron a dominar el mercado y siguen haciéndolo en la actualidad.

Las organizaciones cinco estrellas defienden este principio, que implica que cada miembro de la organización se pregunte: "¿Cómo puedo mejorar mañana lo que hice hoy?". Quienes logran grandes cosas en la vida entienden el potencial del autodesarrollo y se comprometen a mejorar de manera constante.

Si usted consiguiera la perfección, ¿cuál sería el siguiente paso? El enfoque de mejora constante y continua nos permite avanzar a medida que nos esforzamos por alcanzar la excelencia. Y una vez alcanzamos la excelencia, automáticamente nos sentimos impulsados a superar nuestro mejor registro.

Por lo tanto, las grandes empresas nunca están satisfechas. Para crear una organización cinco estrellas, es vital hacer el compromiso de aplicar el principio Kaizen. ¡Empiece hoy mismo!

Los anteriores fueron los que yo llamo Diez Mandamientos del Servicio Superior. De ponerlos en práctica, obtendrá un impacto profundo en su reputación, en su productividad y en sus ingresos.

Recientemente, estando en una gira como orador, fui invitado a las instalaciones centrales de Wal–Mart, en Arkansas, estando allí pude establecer el por qué no fue simple casualidad que este gigante corporativo se convirtiera en el distribuidor al detal número uno del mundo. Su filosofía de mejora constante y continua los ha llevado a alcanzar su estatus de número uno. Yo pronuncié un discurso un viernes en la noche y fui invitado al día siguiente a asistir a una reunión de gerentes. Ver venir voluntariamente a los gerentes y a otros funcionarios un sábado en la mañana fue una gran experiencia, pero más sorprendente aún es la manera como la filosofía de la compañía está fijada en la conciencia de los empleados.

Primero que todo, el personal participó en un vitoreo, que es una canción que dice así:

¡Dame la W!

¡W!

¡Dame la A!

¡A!

¡Dame la L!

¡L!

¡Dame un guión! (El caracter de separación entra las palabras Wal y Mart, y toda la gente hace un pequeño giro).

¡Dame la M!

¡M!

¡Dame otra A!

¡A!

¡Dame la R!

¡R!

¡Dame una T!

¡T!

¿Cómo se dice?

¡Wal–Mart!

¿Cómo se dice?

¡Wal–Mart!

¿Quién es el número uno?

¡Wal–Mart!

¿Quién es el número uno?

(Y la respuesta vino a mi mente, porque todos dijeron al unísono):

¡El CLIENTE… SIEMPRE es el número uno en Wal–Mart!

Esa experiencia me ayudó a entender por qué la filosofía de Sam Walton sobre el servicio al cliente transformó su negocio de una tienda de artículos baratos en Arkansas, al negocio de distribución minorista más grande del mundo. Walton se comprometió a servir a sus clientes con la filosofía de que ellos ocupan el primer lugar en su negocio.

Sam Walton también inspira una actitud de excelencia animando a sus empleados a lograr su mejor desempeño. En esa misma reunión de aquel sábado por la mañana, me sorprendí al ver a los gerentes de Wal–Mart y a otros empleados cantar: "¡Lo bueno es el enemigo de lo mejor... y lo mejor es el enemigo de aquello que es aún mejor!".

En cuanto a mí respecta, estoy de acuerdo con todo ello, pienso que la carrera por la excelencia no tiene final, no tiene un punto de llegada. Cuando se tiene la actitud de excelencia no existe un punto en donde el desempeño se considere "suficientemente bueno". Por lo tanto, usted deberá continuar trabajando para optimizar aquello que se considera como lo mejor.

NO PERMITA QUE EL ROMANCE SE ACABE

Wal–Mart y muchas otras compañías exitosas entienden que una de las claves del éxito a largo plazo es la importancia que se le otorga al asunto del servicio al cliente. A continuación reproduzco un artículo que escribí en mi columna en línea el día de San Valentín, cuya acogida fue impresionante, el mismo trata sobre cómo el éxito en la vida y en los negocios consiste en no dejar que el romance se acabe. Espero que lo disfrute:

> *Es muy importante tener en mente que no sólo debemos pensar en el romance el día de San Valentín. Debemos pensar en el romance durante todo el año. Para tener una relación vibrante y saludable, el romance debe continuar. Y para continuar haciendo que sus llamas resplandezcan, debemos estar dispuestos a hacer un "compromiso permanente" de nunca dejar que el romance se acabe.*

Yo he estado casado por más de 20 años con la única e incomparable señora Dee, y desde el principio me comprometí a nunca dejar que el romance muriera. Cuando recién me casé, tuve una conversación con un caballero de edad, quien había estado casado por más de 50 años. Él y su esposa se comportaban como recién casados. De modo que le pregunté sobre cuál era el secreto para mantener esta clase de relación. El hombre contestó: "El amor no es simplemente una emoción, es una decisión".

Aquel sujeto pasó a explicarme en detalle lo que se necesita para mantener viva la llama del amor en una relación. Escribí acerca de eso en la sección de amor de mi primer libro **¡Sólo toma un minuto cambiar su vida!** Pero resulta suficiente decir, que el hombre mencionó que "¡hacer que tu esposa esté feliz hace que tu vida sea feliz!". Este señor me ayudó a tener presente que compromiso implica amar a tu cónyuge todo el tiempo. No sólo el día de los enamorados o el día de su cumpleaños, sino todos los días.

Tómese el tiempo todos los días para decirle a esa persona que la ama. Dedíquele tiempo una noche a la semana para hacer una "salida especial". Dee y yo hemos estado teniendo nuestra "cita especial" todas las semanas por más de 20 años. Cuando nuestros hijos estaban pequeños y no podíamos darnos el lujo de hacer una "salida especial" ninguna noche a la semana, preparábamos palomitas de maíz, mirábamos la televisión y conversábamos. Era nuestro tiempo para estar juntos, y eso ha seguido ocurriendo todos los años.

Tenemos que hacer lo mismo con los clientes. Debemos trabajar duro para impedir que ese ro-

mance de vinculación comercial termine. Infortunadamente, muchas personas trabajan duro para obtener el negocio, pero dejan de cortejar a los clientes una vez lo obtienen. Mi administradora recientemente cambió de proveedores de suministros de oficina. Luego de hacer el cambio, el anterior proveedor le envió un mensaje de correo preguntando: "¿Qué hicimos para que hubiéramos dejado de ser sus proveedores?". Mi administradora contestó: "No hicieron nada... y ese fue el problema. Ustedes lucharon para hacer que les compráramos, pero después de eso, casi nunca volvimos a saber de ustedes".

Las estadísticas indican que cuesta casi el doble conseguir nuevos clientes que mantener a los antiguos. Y todos sabemos que no es costoso mantener las relaciones amorosas.

De modo que haga que el romance se mantenga vivo... tanto en el hogar como en los negocios. ¡Continué cortejando y demostrando que aprecia la relación! ¡Las recompensas son infinitas!

6

LA CLAVE No. 5 DE LA ACTITUD DE EXCELENCIA: DESARROLLE UNA ACTITUD DE CLASE MUNDIAL

Promueva una actitud positiva y un punto de vista positivo. Aprenda a reconocer que cuando su actitud es excelente, el cambio también lo es. Una vez que todo esté dicho, ¡todo es cuestión de actitud!

A algunas personas las mueve la grandeza, a unas pocas la excelencia. Estas cualidades no se dan por casualidad ni ocurren simplemente porque sí; tampoco es algo con lo cual la gente tropiece intentando llevar una vida placentera. Toda excelencia implica disciplina y tenacidad de propósito.

—John W. Gardner

Los grandes espíritus siempre han encontrado una
violenta oposición de parte de mentes mediocres...
¡Continúa yendo tras la excelencia!

—Albert Einstein

¡Conviértete en el criterio de la calidad! Algunas
personas no están acostumbradas a un entorno donde
lo que se espera es la excelencia.

—Steve Jobs

En mi trabajo discográfico *Money Making Music and Minutes*, escribí la letra de una canción que se titula "It's All About Your Attitude", en la cual enfatizo el hecho de que realmente todo tiene que ver con la actitud (mi amigo Paul Minor compuso la música para esta canción). La letra dice lo siguiente:

Primera estrofa

ACTITUD... Una palabra de tan solo siete letras, y sin embargo, tiene un impacto tan poderoso en el éxito o en el fracaso.

La actitud no es sólo una disposición, está relacionada con la forma como ves el mundo. Tiene que ver con la forma como vemos la vida.

¿Ves la vida desde una perspectiva negativa o positiva?
¡Tú lo decides! Todo tiene que ver con la actitud...
¡Todo tiene que ver con la actitud!
Verás, mi amigo Keith Harrell escribió un libro llamado "La actitud lo es todo".
Él estaba diciendo la verdad... ¡la actitud realmente lo es todo! Tiene que ver con la forma como ves las cosas, como las percibes, y sobre cómo reaccionas ante las cosas.

¿Puedes controlar el tiempo? ¡No! ¿Puedes controlar el clima? ¡No!

¿Puedes controlar lo que la gente diga o haga? ¡No, no, no!

¡Pero sí puedes controlarte a ti mismo y controlar tu actitud! Tu actitud hacia la vida determina tu actitud en la vida.

¡Todo tiene que ver con la actitud!

Coro

Es tu actitud.

Es tu actitud.

Es tu actitud.

Todo tiene que ver con la actitud.

Segunda estrofa

Ahora bien, Dennis Brown dice: "La única diferencia entre un buen día y un mal día está relacionada con tu actitud".

Mira, el asunto va a pasar, la vida va a pasar, el cambio va a ocurrir.

Alguien dijo una vez: "En la vida, o tienes un problema, o acabas de salir de un problema o vas a entrar en un problema. Así es la vida".

Pero puedes decidirlo. Puedes elegir cómo verás y cómo responderás a la vida.

Mira, a todos nos van a pasar cosas. Escribí un libro, El reto: Toda caída nos prepara para una victoria... *porque de eso se trata.*

Las caídas ocurren, me ocurren a mí, le ocurren a todo el mundo. Pero una caída no es el fin del camino; es un giro en el camino.

Y los únicos que se estrellan son quienes no hacen el giro.

¡Todo tiene que ver con tu actitud! ¡Todo tiene que ver con tu actitud!

Coro

Es tu actitud.
Es tu actitud.
Es tu actitud.
Todo tiene que ver con la actitud.

Tercera estrofa

Tu actitud determina tus altibajos.
Una actitud ganadora significa que tú nunca te desanimas.
El pensar positivamente te mantiene en el camino.
Hay tantas cosas buenas hacia delante, no mires atrás.
Mira, una mala actitud puede hacer que un mal día se vuelva peor.
Comienza a pensar buenas cosas y verás cómo todo cambia.
Pensamientos buenos, cosas buenas, pensamientos grandiosos, cosas grandiosas.
Mira lo que trae una actitud positiva.
Mejores días, mejores noches, mejor trabajo, mejor vida.
Sólo porque dijiste: "Lo haré", en vez de haber dicho: "Quizás".
Discúlpame amigo, no quiero sonar rudo,
pero en realidad, ¡todo tiene que ver con tu actitud!

Coro

Es tu actitud.
Es tu actitud.
Es tu actitud.
Todo tiene que ver con la actitud.

Cuarta estrofa

Ahora bien, a medida que transformas tus caídas en victorias, debes tomar algunas decisiones.
La primer decisión que debes tomar es la de decidir qué vas a hacer cuando tengas frente a ti un fracaso.
¿Cómo lo verás?, ¿cuál será tu perspectiva?
¿Verás el fracaso como un punto final o como una coma?

Un fracaso visto como un punto final es el final de la oración, no hay nada más que decir.

Pero un fracaso visto como una coma significa una pausa, una transición, otras cosas vendrán.

Mira el asunto desde otra perspectiva.

Asegúrate de verlo desde otro ángulo, podrás manejarlo de otra manera.

Mira, tienes que entender que tienes que tomar algunas decisiones difíciles.

Porque no puedes controlar lo que te sucede, no puedes controlar lo que ocurre a tu alrededor. No obstante, ¡tienes el control completo de lo que sucede dentro de ti!

¡Y puedes escoger ser feliz! ¡Es tu decisión!

Así que elige tener una actitud positiva.

Lo que debes hacer a continuación es mantenerte alejado de la gente negativa.

De la gente negativa, de miras estrechas, personas que te digan que las cosas no son posibles. Debes mantenerte alejado de estas personas.

Algunas de estas personas van a estar dentro de tus allegados.

Personas a quienes tú amas y personas que te aman a ti. No es que ellos quieran comportarse mal, sencillamente no pueden ver.

No, tienes que hacer el compromiso de mantenerte alejado de las personas negativas y resolverte a vivir tus sueños.

Amigos, deben hacer el compromiso de trabajar en ustedes mismos. Si toman una uva y la exprimen, ¿qué van a conseguir? ¡Jugo de uva!

Si toman una naranja y la exprimen, ¿qué van a obtener? ¡Jugo de naranja!

Si toman a una persona negativa y se relacionan con ella, ¿qué van a obtener?

¡Eso es correcto! — ¡cosas negativas!

Debes hacer el compromiso de llenar tu vida de lo puro, de lo positivo y de lo convincente. Porque de lo que alimentes tu

mente dependerá lo que tu mente produzca.
¡Todo tiene que ver con la actitud! ¡Todo tiene que ver con la actitud!

LA ACTITUD ES EL ACEITE DEL LOGRO

Las organizaciones cinco estrellas se enfocan en la actitud de su personal porque la cultura de la actitud es la que en últimas determina el éxito de aquéllas. La actitud es el líquido vital que hace que una empresa continúe avanzando. Mi amigo Keith Harrell, autor del libro *La actitud lo es todo*, dice que la actitud es el factor crucial en todo proyecto que resulta exitoso.

Durante sus programas, Harrell suele preguntar a la gente en el auditorio: "¿Cuántos de los presentes tienen automóviles?". La mayoría levanta la mano. A continuación los interroga: "¿Con cuánta frecuencia cambian ustedes el aceite del vehículo?". La respuesta común es cada tres meses o cada tres mil millas; cualquiera de estas viene primero. Después, pregunta: "¿Qué piensan ustedes que pasaría si decidieran no hacer un cambio de aceite por uno o dos años?". Por supuesto, la respuesta es que el automóvil perdería velocidad, desempeño, y eventualmente se echaría a perder.

Lo mismo sucede con las organizaciones. La actitud es el aceite del logro. Si usted no hace mantenimiento preventivo en la actitud de la organización, con el tiempo ésta se ralentizará, perderá desempeño y tal vez colapse. Existen muchísimos ejemplos de empresas que no ofrecieron entrenamiento ni estimularon la actitud de sus empleados; como resultado, se desarrollaron influencias tóxicas y negativas que con el tiempo llevaron a que estas empresas desaparecieran, pues tales influencias desgastaron sus fibras y rompieron los tejidos de la empresa, igual a como se rompe el hilo de un suéter costoso.

En segundo lugar viene el desarrollo de la aptitud. ¿Por qué? Los directores de las organizaciones cinco estrellas que he entrevistado han dicho que un aprendiz que tenga una gran actitud, a pesar de tener una aptitud limitada, es muchísimo mejor que una persona con una gran aptitud y con una actitud de saberlo todo. Uno de los aspectos que más van en detrimento de una organización es una persona con una actitud negativa, pues ésta actúa igual que la gripe: Contagia y diezma la fuerza laboral en poco tiempo. El desarrollo de la actitud es vital para el éxito.

Lee Iacocca, salvador de la Corporación Chrysler en los años 80, dijo en cierta ocasión: "Las personas que yo busco para que ocupen las posiciones gerenciales de nuestra organización son aquellas que demuestran esmero en su trabajo, las que no se conforman con lo alcanzado y quienes hacen más de lo que se espera que hagan. Yo busco a aquellos que crean una reputación de excelencia y una actitud positiva". Las personas que triunfan a largo plazo son aquellas que tienen una actitud positiva y que han creado una reputación de excelencia en el largo trayecto.

Cuando se tiene una actitud positiva se aborda el cambio de manera diferente, pues éste se convierte en parte del proceso de crecimiento y se empiezan a buscar formas de transformar una situación negativa para conseguir un resultado positivo.

CAMBIA TU ACTITUD Y EMPRENDE TU CAMINO AL ÉXITO

Un amigo conferencista me llamó un día y durante la conversación me dijo: "Sabes, me encanta pronunciar conferencias, pero ahora mismo estamos teniendo problemas con las ventas. ¡Vender es lo complicado!". Tan pronto como él se manifestó, supe por qué sus ventas no iban tan bien. Le dije: "Si deseas tener éxito en las ventas, no deberías volver a pronunciar esas palabras jamás. De hecho, no debes permitir que esas palabras entren a tu pensamiento. Para que puedas lograr éxito en las ventas, debes aprender a amarlas".

Y le conté que había aprendido esa valiosa lección hace años cuando estaba iniciando una gira de discursos y tenía que viajar en avión todos los días. Al principio era divertido viajar, pero después de hacerlo por espacio de un año, perdió su encanto. Fue para ese tiempo que tuve una conversación con mi amigo Keith Harrell, quien también viajaba mucho, le dije: "Sabes, ¡odio tener que viajar!".

Él respondió de inmediato: "Willie, no debes permitir que esas palabras vuelvan a salir de tu boca... porque lo que sea que digas, es lo que eventualmente se convierte en tu realidad".

A continuación Keith me preguntó con precisión: "Willie, ¿qué te gusta hacer?".

Enseguida le contesté: "Me fascina hablar e inspirar a la gente".

Keith continuó: "¿Concuerdas que para hacer algo que te fascina tienes que viajar en algunas ocasiones?".

Yo contesté: "Bueno... sí".

De nuevo Keith preguntó: "Entonces, ¿no concuerdas en que viajar es el precio que debes pagar para hacer lo que amas?".

Yo contesté: "Bueno... sí, eso es verdad".

De inmediato Keith concluyó: "Entonces nunca puedes volver a decir que odias viajar porque viajar es el precio que pagas para hacer lo que te gusta".

Yo compartí esa información con mi amigo y le dije que él tenía que pensar de forma diferente con respecto a las ventas. También le conté que cuando yo estaba en la universidad, tuve una asignatura de lógica. En esta clase aprendí sobre la lógica deductiva, la que dice que si Sócrates es un hombre, y todos los hombres son mortales, Sócrates es mortal. Utilizando esa misma línea de pensamiento, le dije a mi amigo que si a él le gustaba pronunciar discursos (algo que me dijo que le fascinaba hacer), y que si vender era lo que él tenía que hacer para poder hacerlo, entonces la lógica indicaría que a él le encantaría vender.

Mi amigo se detuvo unos segundos y me dijo: "Tienes razón, Willie". Entonces pasó a decir: "¡Me encanta vender, adoro vender, me fascina vender!". Poco tiempo después sus ventas empezaron a mejorar y esto ocurrió porque su forma de pensar cambió. Su actitud sobre las ventas mejoró, así también lo hicieron las ventas y, por su puesto, sus ingresos.

Me gusta mucho la historia del joven vendedor que se reunió con el presidente de su compañía y le solicitó un aumento, le dijo: "Necesito más dinero, ¿cuándo voy a tener un aumento?".

Su superior, quien había estado en las ventas toda su vida, le contestó: "Mi amigo, tu aumento empezará a regir en el momento en el que cambies tu manera de pensar y te hagas más eficaz". Cuando la actitud de este hombre mejoró, también mejoraron sus ingresos. ¡Desarrolle su actitud, decida ser un ganador! ¡Conviértase en un producto de su actitud de excelencia y aprenda a amar las ventas! ¡Hacer eso cambiará su vida!

DEJE QUE LOS DESAFÍOS IMPULSEN SU ÉXITO

La vida está llena de desafíos, sin embargo, usted no debe permitir que lo detengan; más bien debe permitir que estos se conviertan en el impulso que usted necesita para alcanzar su siguiente nivel de éxito. En el capítulo dos de mi libro *El Reto: Toda caída nos prepara para una victoria aún mayor*, escribí: "Unos días eres el parabrisas y otros días eres el insecto. Algunas veces el viento sopla a tu favor y otras veces te encuentras con un gran muro. No te desesperes. Cada nuevo día puedes elegir ser el insecto negativo o el positivo. Y en esos momentos en los que la vida te presente muros, todavía tienes la opción de decidir la clase de insecto que serás y la manera como responderás a los desafíos que encuentras. ¡Tú lo decides!

El insecto negativo se despierta, inicia su día y se estrella contra el parabrisas. No le gusta el parabrisas, no desea tenerlo frente a sí. El insecto negativo reacciona a la situación llorando y gimiendo por las cosas malas que le han sucedido, irá por todas partes contándole a la gente su desgracia, diciendo que la vida es horrible y convierte la queja en un hábito. No sabe la realidad de lo que significa quejarse, al 80% de la gente que escucha quejas, no le interesan para nada, y el 20% restante se alegra de que la situación negativa no les esté pasando a ellos. Con el tiempo, el insecto negativo crea una espiral de decadencia, allá va y tropieza, se choca y se desgasta.

Por otra parte, el insecto positivo se despierta, inicia su día y se estrella contra el parabrisas. No le gusta el parabrisas ni desea toparse con él; sin embargo, tiene una actitud diferente y así también son los resultados que obtiene. El insecto positivo comprende que la principal clave del éxito a largo plazo es que, aunque no puede controlar lo que le sucede ni lo que ocurre a su alrededor, sí tiene control completo sobre lo que suceda dentro de él. El insecto positivo elige ser positivo y ser feliz; se rehúsa a permitir que algo o alguien le arrebate su felicidad. ¡Esa es su decisión! Y como resultado de su decisión (de mantener una perspectiva positiva) desarrolla una fuerza llamada resistencia, es decir, la habilidad de rebotar de las adversidades y de las situaciones difíciles.

Mientras que el insecto negativo tropieza, se estrella y se desgasta, el insecto positivo rebota, traza una trayectoria diferente y vuela por encima del parabrisas. En ocasiones vendrá un camión y golpeará a este insecto, pero esa será para él otra oportunidad de volar más alto.

Los desafíos vendrán, los cambios vendrán, pero de ti depende cómo reaccionarás ante estos. No tomes los problemas demasiado en serio, y sin importar lo que hagas, no dejes que nada te detenga. No te conformes con soportar la adversidad ¡aprende a crecer mediante esta!

En las primeras tres palabras del libro *The Road Less Traveled*, el doctor M. Scott Peck lo dice todo: "La vida es difícil". Así es, la vida es exigente, pero al mismo tiempo es hermosa y maravillosa. Estoy trabajando en un nuevo libro que dice: "La vida no tiene que ser perfecta para ser maravillosa."

El éxito es una opción, y si realmente usted quiere alcanzar el éxito y vivir una vida cinco estrellas, todo se reduce a tomar buenas decisiones y a no permitir que el azar lo domine. En otras palabras, todo depende de la actitud que desee adoptar. Mantenga una actitud positiva a pesar de los retos que la vida le pueda presentar.

NO ESPERES A QUE EL BARCO (DE OPORTUNIDADES) VENGA POR TI... NADA HASTA LLEGAR A ÉL

Muchas personas dicen que están esperando a que su barco (de oportunidades) venga para abordarlo. Se sientan pacientemente a esperar a que ese barco llegue. Recuerdo los días en que trabajaba como músico en el club (mucho antes del surgimiento de *American Idol)*, recuerdo que solía esperar el "gran éxito", aguardaba a que alguien me "descubriera" (no me daba cuenta de que la mayoría de gente en el club estaba demasiado borracha para siquiera encontrar la puerta de salida, mucho menos notarían mis talentos cuando yo salía al escenario a hacer mi mejor esfuerzo).

Muchas veces escuchaba a la gente decir: "Continúa cantando, trabaja duro, y un día alguien vendrá y te dará una oportunidad", y yo continuaba esperando ese día que nunca llegó; entonces aprendí que debía dejar de *esperar* esa oportunidad y, más bien *hacer* yo mismo que las cosas sucedieran. Me encanta ese proverbio chino que dice: "Quien espera que un pato asado vuele directo a su boca... continuará esperando mucho, mucho tiempo".

También aprendí que la mejor forma de forjar el futuro consiste en desarrollarse primero uno mismo. Inicié un programa de autodesarrollo. Tenía dos opciones. Podía continuar esperando a que mi barco llegara o podía nadar hasta llegar a alcanzarlo; yo decidí nadar hasta llegar a él, y me alegra haber tomado esa decisión, porque algunos de mis amigos todavía están esperando en el muelle. Jonathan Winters dice: "Estuve esperando que el éxito llegara, pero nunca vino, de modo que me fui sin él".

Amigos, el éxito no es algo que uno deba esperar, es algo que se debe alcanzar. No se detenga a esperar a que su barco venga, láncese al agua y empiece a nadar hasta él. Haga el compromiso de volverse proactivo con respecto a su propio éxito. Haga el compromiso hoy mismo de emprender la acción, lea y escuche algo positivo y edificante todos los días; por ejemplo, yo escucho música motivadora todas las mañanas, y esto tiene un profundo efecto en mí; en especial me esfuerzo por escuchar mi canción: *"You've Gotta Keep Kicking"* (Tienes que mantenerte pedaleando) porque recarga mi energía y me recuerda que las cosas maravillosas de la vida ocurren cuando continúas esforzándote y no te das por vencido.

Anteriormente recomendé la importancia de trabajar en la actitud por adelantado porque tarde o temprano la necesitará. Yo creo que la fe firme y la actitud positiva son esenciales para hacer frente a los tiempos difíciles y para mantener la cordura en épocas de crisis. El hecho de que la vida sea difícil no significa que su vida tenga que ser un infortunio.

En mi último libro, *Turning Setbacks into Greenbacks*, incluí una historia sobre mi automóvil incendiándose y sobre cómo la gente se sorprendió de ver la forma calmada en la que reaccioné; sin embargo, lo que la gente desconocía era que la razón por la cual yo reaccioné calmadamente en ese momento difícil, es que había cavado mi pozo bien profundo antes de tener sed.

El hecho sucedió así: Mi esposa y yo estábamos en la iglesia una noche en un estudio bíblico cuando alguien entró apresuradamente y dijo: "Willie, ¡tu carro está ardiendo en llamas!". Salimos al estacionamiento y cierto, lo comprobamos.

De acuerdo con el informe de la policía, el auto de mi esposa había empezado a emitir humo una media hora antes de que el incendio se ocasionara. Cuando las chispas y las llamas empezaron a salir por debajo del capó y por el tablero de controles, la policía llamó al departamento de bomberos. Pero en vista de que el sistema eléctrico estaba incendiado y por lo tanto inservible, los bomberos no pudieron abrir las puertas del automóvil, así que tuvieron que romper los vidrios de las ventanas con la ayuda de un hacha para poder abrir el capó y apagar el fuego.

Estando allí de pie, observando que nuestro auto se consumía en las llamas, alguien se acercó y nos preguntó cómo nos sentíamos, yo le contesté: "¡Estoy agradecido y bendecido! Esto no es nada más que un pequeño revés, y un revés no es nada más que una oportunidad para sembrar una victoria futura".

El hombre preguntó: "Realmente crees que eso es así, ¿no es verdad?".

Yo le contesté: "Estás absolutamente en lo cierto. No es el gran asunto. Mira, este auto pudo haber estallado en llamas cuando mi esposa iba conduciendo hacia una conferencia esta semana, o cuando me recogió del aeropuerto, o cuando veníamos hacia la iglesia hoy. Estoy bendecido y muy agradecido. Y ahora el mundo no se va a terminar. Sólo es un automóvil. Este revés no es más que una oportunidad para sembrar una victoria futura".

El gran poeta y mentor de Oprah Winfrey, Maya Angelou, dijo: "Si hay algo en tu vida que no te gusta, ¡cámbialo! Pero si no puedes cambiarlo, entonces ¡cambia tu actitud!". Elige tener una actitud positiva, incluso en medio de lo negativo, aun en medio de los tiempos difíciles. Elige vivir tus sueños y una vida de éxito cinco estrellas.

En una ocasión me preguntaron sobre qué se puede hacer si los tiempos difíciles vienen antes de haber trabajado en fortalecer la fe y desarrollar la actitud. Mi respuesta es: "¡Iniciar donde se está!". En otras palabras, lo mejor que se puede hacer cuando uno está en un hueco es dejar de cavar y empezar a trepar. Iniciar donde se está y continuar trabajando en su actitud y en su fe. Eso le ayudará a salir de la situación.

DESARROLLA TU APETITO

El tercer paso para desarrollar la actitud tiene que ver con incrementar el apetito, este implica el deseo de alcanzar las metas. ¿Qué nivel de deseo tiene usted? ¿qué cosas está dispuesto a hacer para alcanzar sus metas? ¿tiene usted apetito?

Les Brown grabó un PBS especial titulado "You've Gotta Be Hungry", que cuenta la historia de su lucha para alcanzar sus sueño de convertirse en un locutor de radio, a pesar de ir de fracaso en fracaso. Fueron sus ansias y su fuerte deseo los que le ayudaron a convertirse en una personalidad exitosa de la radio antes de llegar a ser orador en temas de motivación y escritor. De modo que mis preguntas permanentes son: "¿Tiene usted apetito de éxito?" ¿qué está usted dispuesto a hacer para lograr su meta?

Esta es una pregunta importante en la búsqueda para conseguir el éxito cinco estrellas. Imagínese que alguien lo lleva al Estadio de los Gigantes en Meadowlands, Nueva Jersey, en el momento en que usted está en medio del campo, la otra persona le dice: "Hay un tesoro de varios millones de dólares ocultos en algún lugar de este terreno de juego, yo le ofrezco a usted la oportunidad exclusiva de encontrar ese tesoro y de reclamarlo como suyo". ¿Estaría dispuesto a iniciar la excavación? Supongo que la mayoría de las personas diría: "Sí, ¡por supuesto que estaría dispuesto!". El desafío consiste en que usted no sabe dónde, en ese extenso campo, está oculto el tesoro, pero podría estar bien dispuesto a cavar por un rato; no obstante, la clave para encontrar el tesoro subyace en la voluntad de continuar excavando.

Igual sucede en la vida, propongo yo: Usted deberá continuar excavando por su tesoro. Considero que hay millones de dólares a su nombre esperándolo para que usted genere una idea, un producto o servicio, por el cual el mundo esté dispuesto a pagar; sin embargo, usted deberá continuar cavando por el tesoro. Yo no sé dónde está escondido ese tesoro, tampoco sé cuál es la clave para encontrarlo, porque la clave la tiene usted, que tendrá que estar dispuesto a continuar cavando. El obispo T. D. Jakes afirmó: "Muchos se preguntan y dicen que simplemente yo aparecí un día y tuve éxito. Pero lo que no saben es acerca de esos años y años en los cuales luché en las montañas de Virginia. Todo lo que he logrado es el resultado de la lucha y del trabajo duro. He continuado cavando, cavando y cavando. Así que, cuando muera, asegúrense de mirar bajo mis uñas, encontrarán tierra en mis uñas, porque continuaré cavando hasta el mismísimo fin".

Entonces, lo animo a continuar cavando y buscando la excelencia a medida que lucha por conseguir sus sueños y sus metas. Deberá continuar deseando de forma vehemente, deberá tener un gran apetito. Para lograr vivir una vida cinco estrellas en su faceta tanto personal como profesional, primero deberá desarrollar un estado mental de cinco estrellas y tener una actitud de ganador. ¡Deberá desarrollar el apetito de ganar!

FORTALECE TU VOLUNTAD DE GANAR

La diferencia entre una persona exitosa y los demás no la hace ni la fuerza ni el conocimiento, más bien la hace la voluntad de ganar.

—Vince Lombardi

Cuando pensamos en ganar, por lo general tenemos presentes a quienes ocupan el primer lugar en una competencia; no obstante, eso no comprende la totalidad de lo que significa ganar, que también consiste en superar las propias creencias autolimitantes y hacer el compromiso personal de prevalecer a través de los desafíos con el fin de alcanzar la meta. El diccionario *Webster* define *ganar* de la siguiente manera: "Obtener o tomar posesión ejerciendo un gran esfuerzo".

Ganar no consiste simplemente en ser el mejor o terminar primero, también está relacionado con seguir adelante a pesar de tener que enfrentar grandes obstáculos. Una persona ganadora es quien, incluso en condición física de discapacidad —por ejemplo, quien no tenga piernas—, corre una maratón y termina de última. La madre soltera que decide capacitarse para obtener un diploma universitario, a pesar de tener un trabajo de tiempo completo y criar a su familia, es una ganadora, no importa cuánto tiempo le tome hacerlo. La persona que emprende un negocio pequeño y que pasa por dificultades perdiéndolo todo, pero que pese a ello inicia de nuevo y logra obtener ganancias, es una ganadora. ¡Ganar no tiene que ver simplemente con llegar de primeras!

Implica gran esfuerzo ganar en la vida. Pero la razón por la cual la mayoría de las personas no gana es porque no están dispuestas a hacer un esfuerzo lo suficientemente coherente; muchas van tras una meta y por algún tiempo trabajan duro en alcanzarla, sin embargo, luego bajan la guardia y, en algunas ocasiones, se dan por vencidas. Dado que he tenido la oportunidad de estudiar a un sin número de personas exitosas durante años, me he quedado sorprendido por las constantes que hay entre quienes han logrado el éxito; no se trata de individuos con grandes personalidades, más bien se trata de personas comunes y corrientes que realizan cosas extraordinarias y que, por ende, se convierten en seres humanos extraordinarios, son sujetos que se fijan una meta y que se rehúsan a darse por vencidas hasta que la obtienen. Esa es la clave de su éxito: ¡Preparar la mente! Así es, la primera clave para desarrollar un perfil ganador tiene que ver con preparar la mente.

PREPARA TU MENTE

Algunos no alcanzan el éxito porque no preparan su mente, no hacen el compromiso de ganar. Lo que impide que muchas personas alcancen el éxito es la falta de compromiso. Solemos hablar del éxito y pensar en el éxito, pero no nos involucramos con él con todas nuestras fuerzas. En 1951, William H. Murray escribió en *The Scottish Himalayan Expedition*:

Existe vacilación hasta el momento en el que uno se compromete, siempre existe la posibilidad de dar marcha atrás, pero con eso no se logra nada. Respecto a todos los actos de iniciativa (y creación), existe una verdad elemental que al desconocerse echa a perder incontables ideas y planes espléndidos: en el momento en el que uno se compromete, la providencia también lo hace. Una gran cadena de eventos nace de la decisión, los cuales se ponen a nuestro favor y ocurren a manera de incidentes imprevistos, encuentros y material de ayuda que uno ni podía imaginar que se presentarían. Llegué a admirar este verso de Goethe: Lo que puedas hacer o soñar, ¡ponte a hacerlo! / El coraje está lleno de genialidad, poder y magia.

Se requiere de ese compromiso para ganar y para ello se necesita una mente preparada. ¡Prepare su mente, comprométase y luego, ocúpese en su propósito! ¡Así logrará alcanzar su meta!

CONCLUSIÓN

En la primera parte de este libro hemos hablado de los siguientes conceptos:

1. Desarrollar el líder que llevamos dentro. Recuerde que antes de poder dirigir a otros, usted debe estar en capacidad de dirigirse a sí mismo.

2. Considere el cambio como un aliado, no como un enemigo. Si usted comprende los componentes del cambio, el desafío y las opciones que tiene ante sí, aprenderá a tener éxito. Válgase de esos cambios para triunfar, no sólo para pasar por ellos.

3. Desarrolle el trabajo en equipo: Aprenda a pensar como equipo y trabaje en equipo, sólo así podrá ganar como equipo. Tenga en mente que los grandes equipos cuidan de sus miembros, se respaldan y se animan unos a otros. Si logra hacer esto, alcanzará el éxito cinco estrellas, no solamente para unos cuantos miembros del equipo sino para cada una de las personas que componen la organización.

4. Procure ofrecer al cliente un servicio de la mejor calidad. Aplique los "Diez mandamientos del servicio superior". El servicio es la cuota de alquiler que pagamos por el lugar que ocupamos en este planeta. Entre más sirvamos, mayor éxito tendremos y mayor sentido de satisfacción disfrutaremos.

5. Finalmente, desarrolle una actitud positiva. Los cambios van a venir querámoslo o no. De modo que quienes aceptan el principio: "El cambio es bueno cuando tu actitud es buena", logran éxito en la vida y disfrutan más del proceso.

EL DESARROLLO PERSONAL:

CINCO PASOS PARA DESARROLLAR

UN ÉXITO DE CINCO ESTRELLAS

7

CINCO PASOS SENCILLOS PARA ALCANZAR EL ÉXITO

Los capítulos en esta sección del libro componen la segunda mitad del programa que se orienta a crear organizaciones extraordinarias mediante el crecimiento de los individuos que las integran, los mismos han sido diseñados para ayudarle a ampliar su capacidad y su potencial personal, así como para aumentar las posibilidades de desarrollar la actitud de excelencia. Su capacidad personal impacta de forma positiva o negativa el éxito de la organización para la cual trabaja. Los mensajes que contienen los capítulos que presentaremos a continuación le pueden ayudar a mejorar los resultados que usted podría obtener tanto en su vida personal como en la profesional.

Permítame decir al inicio de esta sección que los pasos que mencionaremos a continuación se caracterizan por su sencillez, no es necesario ser un científico especializado en cohetes o un físico nuclear para entenderlos. Si usted aplica estos sencillos pasos podrá notar un impacto positivo en su vida y verá resultados significativos en corto tiempo; lo mejor de ellos es que no son parte de un secreto vedado ni corresponden a una fórmula misteriosa y es probable que usted ya los conozca.

El único requisito indispensable consiste en abordarlos desde una perspectiva diferente. Así que, comencemos...

¿DESEA LOGRAR MÁS EN EL FUTURO?

En primer lugar, me gustaría hacerle algunas preguntas preliminares:

- ¿Desea alcanzar un éxito mayor?
- ¿Desea lograr más en el futuro de lo que ha logrado en el pasado?
- ¿Desea ser más en el futuro de lo que ha sido en el pasado?
- ¿Le gustaría ganar más dinero en el futuro, del que ha ganado en el pasado?

La mayoría de las personas desean lograr más, adquirir más y ganar mucho dinero. Sin embargo, un gran porcentaje de ellas no saben cómo lograrlo. Yo entiendo la situación porque tuve esa misma lucha. Me sentí desconcertado con esas preguntas, de modo que me resolví a hallar las respuestas en una búsqueda que me tomó años.

Entonces, investigué con algunos de los grandes maestros y expertos en el tema del éxito, intentando solucionar el problema. Con gran emoción puedo decir que tras un largo periodo de exploración, logré resolver el enigma. Y no sólo he hallado una respuesta que funciona, sino que también encontré que la misma es simple y a la vez muy acertada. He titulado el asunto "El éxito más simple", porque precisamente eso es: La solución simple para alcanzar el éxito. En los capítulos que siguen a continuación encontrará los cinco pasos que le pueden ayudar a crear un éxito cinco estrellas, tanto en su vida personal como en la profesional.

CINCO PASOS SENCILLOS PARA LOGRAR UN ÉXITO DE CINCO ESTRELLAS

Todos nosotros tenemos ideas que surgen en nuestra mente y que literalmente podrían transformar nuestras vidas. No obstante, la mayoría de la gente las ignora. En mis programas me gusta formular la siguiente pregunta: "¿Cuántos de ustedes han tenido al menos una buena idea en su vida?". Casi la mayoría de los asistentes levanta la mano; a continuación los interrogo con: "¿Cuántos de ustedes están seguros de que esa era una gran idea?", y al final pregunto: "¿A cuántos de los que tuvieron una idea y que sabían que era una gran idea, no hicieron nada al respecto, pero después de un año o dos vieron que alguien había desarrollado esa idea y le estaba yendo muy bien con ella?". ¡La mayoría levanta la mano! Con frecuencia, pensamos en la idea, pero no hacemos nada al respecto, esto ocurre porque no nos vendemos lo suficiente la idea a nosotros mismos.

Muchas personas transcurren por la vida como los robots. Se levantan, van al trabajo, regresan, ven la televisión y al final del día se van a dormir. Mi amigo conferencista y autor, John Alston, comenta algo similar en uno de sus discursos. Él atraviesa la plataforma hacia delante y hacia atrás para enfatizar cada punto: "La mayoría de la gente se levanta (camina hacia delante), va al trabajo (se para hacia un lado de la plataforma), regresan a casa (camina hacia atrás), y se van a dormir (se para hacia el otro lado de la plataforma)". Por supuesto, si quienes trabajan son madres, dan un paso adicional: Se levantan, van al trabajo, vienen a casa, van al trabajo, regresan y luego se van a dormir. La mayoría de las personas tiene una rutina que termina el día en el mismo punto en donde inició.

Día tras día hacen lo mismo de forma consistente y consiguen iguales resultados semana tras semana. Algunos han descrito este comportamiento como una forma de caminar sonámbulo o de caminar en un molino: La persona se mueve pero realmente no va a ninguna parte, se encuentra en un estado de simple existencia o de supervivencia, cuando en realidad deberían estar en un estado de continuo desarrollo.

Debemos reaccionar ante las posibilidades de la vida, despertar nuestra mente y pensar de forma diferente.

8

PASO 1.
¡DESPIERTE Y SUEÑE!

En primer lugar, analicemos qué significa despertar. Hace algunos años, Teddy Pendergrass cantó una canción popular cuya letra comparaba el hecho de dormir con pensar en retrospectiva, y el despertar con pensar hacia delante. Si usted ha de vivir la vida a plenitud, no debe permitir que la mediocridad lo domine; más bien, ha de despertar ante las inmensas posibilidades que se encuentran a su alrededor, debe despertar ante el hecho de poder vivir una vida increíble y espectacular. Eso dependerá de usted.

DESPIERTE AL GANADOR QUE LLEVA DENTRO

Dorothea Brande escribió un libro llamado *Wake Up and Live! (¡Despierta y vive!)*, en el cual ella animó a ver la vida con lentes distintos al afirmar: "Necesitamos darnos cuenta de que existen oportunidades y posibilidades increíbles a nuestro alrededor, y que están a nuestro alcance ¡sólo si sencillamente despertamos y vivimos!".

Entonces, lo invito a que haga el compromiso de vivir la

vida a plenitud y aproveche todas las cosas maravillosas que ésta tiene para ofrecerle. Quienes hacen el compromiso de alcanzar el éxito se dan cuenta de que lo pueden lograr, que deben vivir la vida a plenitud y que deben hacerlo ahora.

Por su parte, Frank Sinatra dijo en cierta ocasión: "Debes vivir tu vida a plenitud, como si se tratara del último día, porque cierto día eso será cierto". Mi madrina en la oratoria, la gran conferencista y cantante Rosita Pérez, lo expresa del siguiente modo: "No te lleves tu música contigo a la tumba. Vive pleno, ¡muere vacío!".

A pesar de ello e infortunadamente, la mayoría de las personas no viven la vida a plenitud sino que desean obtener más de la vida, pero no están dispuestas a sumar nuevas razones a su vida, así que viven sentadas frente a la chimenea diciendo: "Dame calor", sin añadir leña, y muchas veces sin iniciar el fuego. Con frecuencia vivimos la vida como aquellos equipos deportivos que sienten tanto miedo de perder que ni siquiera intentan ganar. En mi libro más reciente, *Stop Playing Small: If You Want to Win Big, You Have Got to Play Big!* Enfrento mis propios temores y mi comportamiento autolimitante.

En él, me hago las siguientes preguntas:

1. ¿Qué deseo?
2. ¿Qué estás haciendo para obtener lo que quieres?
3. ¿Qué no estás haciendo para obtener lo que quieres?

Lo animo, querido(a) lector(a), a que tenga una conversación sincera consigo mismo(a) y a que confronte sus temores, dígase a sí mismo(a) que debe dejar de jugar en pequeño para empezar a jugar en grande.

En el año 1956, Earl Nightingale, el popular presentador de radio y entrenador exitoso, grabó el sobresaliente programa de autoayuda *El secreto más raro*. Nightingale declaró que la mayoría de las personas están condenadas al fracaso porque son como robots en el proceso de seguir a un líder. Los líderes que ellos siguen no saben hacia dónde van, lo que convierte el asunto en un problema sin esperanza en el cual un ciego guía a otro ciego. Cito aquí al conocido psiquiatra Rollo May, quien dijo: "Lo opuesto al valor no es la cobardía, es el conformismo".

Nightingale desarrolló esa idea un paso más allá: "Menos del 5% de los americanos son ricos... en el país más rico del mundo. Muchas personas están viviendo una vida de conformismo con lo que es popular. Infortunadamente, lo popular va en la dirección equivocada". (Grabación de *El secreto más raro*, 1956).

Lo anterior es evidente en nuestro país, incluso el más rico que el mundo ha conocido. Sin embargo, muchas personas no le sacan provecho a todas las oportunidades que se encuentran a su disposición. Por ejemplo, las estadísticas demuestran que los inmigrantes de otros países se hacen millonarios cinco veces más rápido de lo que lo hacen quienes nacen aquí. ¿Por qué? Es posible que los inmigrantes provengan de un país en donde sólo ganaban cinco dólares al día, y cuando llegan a Estados Unidos se dan cuenta de que pueden ganar cinco dólares en una hora, entonces se mantienen ocupados; vienen y viven el sueño americano ante quienes nacen aquí, que en muchas ocasiones desconocen que existe un sueño americano; yo puedo asegurar que éste existe y está activo. No obstante, en primer lugar, debemos estar dispuestos a soñar.

LUEGO DE DESPERTAR, ¡SUEÑE!

¿Despertar y soñar? Tal vez usted piense que esto es una contradicción. ¿Cómo así que soñar mientras se está despierto? Esto puede parecer extraño. Para lograr tener éxito y vivir una vida a plenitud, usted tendrá que despertar y soñar. Quiero que piense por un momento e imagine este instante como un tiempo grandioso para estar vivo, visualice su vida, entusiásmese con las maravillosas oportunidades y posibilidades que están a su alcance; alégrese por el hecho de estar en la tierra de los vivientes. Por lo tanto, usted tiene la oportunidad de cambiar su vida y alcanzar cosas mejores. De hecho, usted tiene la posibilidad de vivir la mejor vida posible.

Y no sólo es posible, sino que aquellos que logren dominar esa habilidad, también podrán alcanzar mayor éxito. Durante años yo he declarado que los sueños son las semillas del éxito, he dado ejemplos de personas que han estado dispuestas a soñar y cuyos sueños les han ayudado a alcanzar el éxito en grande.

Cuando en una entrevista se le pidió a Michael Jordan que describiera el secreto de su increíble éxito en la cancha de baloncesto, él dio una respuesta que fue leyenda en su momento. Cuando él jugaba en la secundaria fue despedido del equipo de baloncesto porque no era suficientemente bueno. Jordan se fue a casa y empezó a soñar con lograr cosas imposibles en el baloncesto para probarle al entrenador que había cometido un error. Una vez que Jordan pudo visualizar aquellas jugadas increíbles en su mente, se fue a la cancha y las replicó; explicó que una vez visualizó las jugadas de baloncesto en su mente, supo que las podía reproducir en la cancha, se dio cuenta que podía lograr las cosas que había soñado y llegó a convertirse en el mejor jugador de baloncesto de todos los tiempos.

Por otro lado, a Duke Ellington se le preguntó cuál era la clave del éxito como músico, a lo cual él confesó: "¡Sueño mucho!". A Walt Disney se le interrogó sobre la manera en que había logrado superar la bancarrota y dos crisis nerviosas, crear el Mundo de Disney y convertirse en un multimillonario, y él respondió: "¡Me mantengo soñando todo el tiempo!".

A Mohamed Ali se le indagó sobre cómo había logrado revolucionar la industria del boxeo para que multitud de personas acudieran a verlo pelear, y él contestó: "Utilicé mi imaginación y creé una personalidad que la gente pudiera amar u odiar. Los que me amaban venían a verme ganar, y los que me odiaban venían a verme perder. Con el tiempo, no llegó a quedar una sola silla vacía". Albert Einstein lo dijo acertadamente cuando declaró: "La imaginación (lo que yo llamo el poder de soñar) es mucho más importante que el conocimiento". Quienes logran alcanzar un éxito sin precedentes son quienes logran soñar los sueños más excelsos.

¡Debes de tener un sueño! Entre más grande sea tu sueño, más grandes serán las recompensas. La mayoría de las personas van por la vida sin notar el gran potencial y todas las posibilidades que subyacen dentro de sí mismas. Ralph Waldo Emerson afirmó: "Quien esté delante de ti y quien esté detrás de ti nunca se podrán comparar con quien reside en tu interior". Vivimos en el tiempo de las oportunidades y de las posibilidades ilimitadas; sin embargo, casi ninguno de nosotros ha despertado para soñar ni reconocer la grandeza que reside en nuestro interior.

Muchas personas restan importancia al asunto de soñar porque en algún momento en sus vidas fueron advertidos por un amigo o un familiar "bien intencionado" sobre ser realistas. Y digo amigo o familiar "bien intencionado", porque muchas de las personas que matan nuestros sueños no son enemigos ni adversarios, sino nuestros amigos o seres queridos. Y no es que ellos tengan alguna intencionalidad mala, lo que pasa es que sufren de ceguera con respecto a las posibilidades. Es como lo escribí en la canción "Todo tiene que ver con tu actitud".

Por lo anterior, aconsejo apartarse de la gente negativa, incluso de aquellos que pueden parecer "bien intencionados", porque podrían matar nuestros sueños.

Y no sólo es necesario empezar a soñar, sino que también es menester continuar soñando y soñar en grande. Los estudios demuestran que las personas que tienen sueños y metas viven más tiempo que quienes no las tienen.

La importancia de este concepto de despertarse y soñar se hizo evidente para mí de una manera vívida cuando estaba a punto de lanzar mi segundo libro, *El Reto: Toda caída nos prepara para una victoria aún mayor*. Yo había aprobado el escrito y el editor estaba a punto de dar luz verde para iniciar la impresión, cuando un amigo me envío una cita tan profunda que sentí que debía hacer parte del libro. Cuando leí la cita inmediatamente levanté el teléfono y llamé a la editorial para pedirles que detuvieran la imprenta, les dije: "¡Tengo algo que debe ir en el libro!".

Y me alegra tanto que mi editor aceptara el anexo, me sentí realmente inspirado por las siguientes palabras de T. E. Lawrence (más conocido como *Lawrence de Arabia*), igual que miles de personas que me lo han dejado saber personalmente o por correo electrónico:

> *Todos los hombres sueñan; pero no de la misma forma. Están los que sueñan en la noche en los recesos polvorientos de la mente y que despiertan para descubrir que todo fue vanidad; pero están los que sueñan de día, a estos presta atención, porque ejecutan sus sueños con los ojos abiertos, para hacerlos realidad. (**Siete pilares de sabiduría**).*

Si usted desea vivir una vida a plenitud, necesita tener una visión y debe captarla. Las escrituras dicen: "Donde no hay visión, el pueblo perece", y yo considero que donde hay visión el pueblo florece. Así que usted necesita tener una visión. En una ocasión se le preguntó a Helen Keller: "¿Existe algo peor que la ceguera total?". Ella contestó, "¡Sí! Es poder ver y sin embargo no tener una visión". La visión es un elemento importante para vivir una vida cinco estrellas y para disfrutar del éxito cinco estrellas.

Es muy difícil vivir una vida a plenitud si uno no la ha concebido de esa manera. ¿Si alguien no tiene esa visión en su mente, y no sabe para dónde se dirige, puede alcanzar la meta? Es como la escena de *Alicia en el país de las maravillas*, en la cual Alicia llega a una bifurcación en el camino, mira en el árbol, ve al sonriente gato de Cheshire y pregunta cuál camino tomar. El gato de Cheshire pregunta: "¿Hacia dónde te diriges?".

Alicia contesta: "¡No lo sé!".

El gato de Cheshire contesta: "En ese caso, cualquier camino te servirá".

Muchos de nosotros somos como Alicia, trabajamos duro pero no tenemos una meta específica; en otras palabras, vamos por la vida, pero una vez lo consideramos, no sabemos a dónde nos dirigimos.

A fin de vivir una vida a plenitud es absolutamente necesario empezar con los sueños, pues estos son la semilla del éxito. Si uno toma una semilla de maíz, hace un hueco, la siembra en la tierra y la riega, con el tiempo se convierte en una planta de maíz. Si uno toma una bellota, hace un hueco, la siembra y la riega, con el tiempo se convierte en un gran roble. Lo mismo sucede con los sueños.

Si usted proyecta un sueño, siembra ese sueño en su corazón y lo riega continuamente, con el tiempo ese sueño se hará realidad. Pero necesitará saber cómo regar el sueño asiduamente diciendo: "¡Yo creo que puedo hacerlo!, ¡yo creo que puedo hacerlo!". Necesitará hacerlo en los días buenos y en los malos, en los felices y en los tristes, en los días soleados y en los lluviosos. Deberá continuar afirmando que sus sueños se harán realidad para que crezcan, florezcan y, de hecho, se conviertan en reales.

Mi buen amigo, Al Walker, el gran orador y humorista, compartió conmigo una lección sobre el poder de la visualización que aprendió viendo la película *The Karate Kid*; en ella, un hombre joven llamado Daniel se había trasladado a un vecindario nuevo junto con su madre y estaba intentando encajar en el lugar. No obstante, le estaba resultando difícil. Cierto día cuando regresaba de la escuela en su bicicleta, fue atacado por unos abusadores que además destruyeron su medio de transporte, ellos estaban a punto de hacerlo trizas cuando de la nada apareció un hombre que sabía artes marciales y lo rescató de la situación, lo cual le permitió a Daniel escapar. Tal sujeto era el señor Miyagi, quien se convirtió en el mentor y mejor amigo de Daniel.

Entonces, el señor Miyagi le dijo a Daniel que podía enseñarle estas antiguas técnicas de lucha, a lo cual Daniel respondió que no tenía talento con las artes y que no podría lograrlo. El señor Miyagi insistió: "¡Puedo enseñártelo, puedes hacerlo!".

Pero de nuevo Daniel declaró: "No, no puedo. No tengo suficiente talento". La conversación continuó hasta que el señor Miyagi le dijo a Daniel que le diera un buen vistazo a un bonsái. Daniel lo miró atentamente y a continuación el señor Miyagi le pidió que cerrara los ojos; Daniel los cerró y el señor Miyagi le preguntó: "¿Puedes ver la planta en tu mente?".

Daniel contestó: "¡Sí!".

"¿Puedes verla claramente?".

De nuevo, Daniel contestó: "¡Sí!".

El señor Miyagi le dijo: "¿Puedes recordar los detalles y las formas?".

Daniel contestó: "¡Sí!".

Al final, el señor Miyagi le pidió a Daniel que abriera sus ojos, cuando Daniel los abrió, pudo ver que el señor Miyagi había reemplazado el bonsái recortado por uno que no estaba trabajado y le dijo: "Daniel, ahora deseo que trabajes y que dejes el árbol como el que aparece en tu imagen mental".

La lección de esta historia es que uno no puede ser lo que no puede ver. Uno debe tener una visión.

9

PASO 2.
¡MANIFIÉSTESE!

¡Manifiéstese! Ese es el siguiente paso, muy necesario, para vivir la vida a plenitud. Así es, ¡manifiéstese! Woody Allen dijo que el 80% del éxito consiste en mostrarse, ¡y tenía razón!

MUÉSTRESE CON SU MATERIAL

Yo aprendí esta lección cuando me inicié en el tema de la oratoria. Como ya lo he mencionado anteriormente, Les Brown y Gladys Knight me invitaron a ser parte de su gira *Music and Motivation Dream Team Tour*. Yo siempre me sentía nervioso antes de cada presentación. Una noche, mientras esperaba que comenzara el espectáculo, estaba en el cuarto de espera cambiando los canales en un televisor. De repente, apareció en la pantalla el rostro de una mujer que conocía, estaba en televisión vendiendo cintas sobre "cómo conducir relaciones interpersonales exitosas", se identificaba a sí misma como "experta en relaciones interpersonales". Me quedé boquiabierto y dije audiblemente: "¿Con qué autoridad puede esta mujer hablar de relaciones exitosas?, ¡yo sé quién es ella!, ¡ha estado casada cinco veces!".

Les se rió y dijo: "Willie, la razón por la que ella está allí es porque ella se mostró". Y Les tenía razón. Yo conocía a personas mucho mejor calificadas que ella para hablar del tema, con relaciones duraderas y comprometidas, pero éstas no se habían mostrado ¡ella sí lo había hecho!

Entonces, haga el compromiso de mostrarse y de moverse en la dirección de sus sueños y metas. Una vez que lo logre, comprométase a continuar en ello. ¡Muéstrese con su material! ¡Muéstrese involucrado, entusiasmado! Y llegue al siguiente nivel, hágalo sobre una base diaria.

También sucede que muchas personas no logran tener éxito en la vida, no porque no posean el talento o la habilidad para lograr grandes cosas, sino porque sencillamente no deciden mostrarse ni ponen de manifiesto que están allí y que tienen algo qué decir. He podido establecer que a uno le ocurren cosas buenas si hace más de lo que se espera de uno, va más lejos de donde se espera que uno vaya, excava más profundo de lo que se espera que uno cave, y da más de lo que se espera que uno dé.

Así mismo, he aprendido que si uno hace más de aquello por lo cual se le paga, un día se le pagará mejor por lo que hace. Es como mi amigo Les Brown lo expresa: "¡Si haces hoy las cosas que otros no hacen, mañana tendrás las cosas que otros no tendrán!". Quiero animarlo, amigo lector, a mostrarse con su material y a que asuma esa actitud de hacer más de aquello por lo cual se le paga, verá que después se le pagará mucho más por lo que hace.

El autor y educador Dennis Kimbro dice:

- Si usted se muestra... logrará el negocio el 80% de las veces.

- Si usted se muestra a tiempo... conseguirá el negocio el 85% de las veces.

- Si usted se muestra a tiempo con un plan... obtendrá el negocio el 90% de las veces.

- Si usted se muestra a tiempo, con un plan, e implementa ese plan con excelencia... logrará el negocio el 100% de las veces.

Establezca el compromiso de mostrarse a tiempo, con un plan, y luego ejecute ese plan con excelencia. ¡Verá que puede alcanzar el éxito!

Hace algunos años, mi hijo vino del College of William and Mary y anunció que había logrado calificaciones de honor por primera vez en dos años dentro de la institución, yo le pregunté cuál había sido la clave de su éxito, y me contestó: "Papá, escuché tus casetes y ¡llegué a todas las clases a tiempo!". Es verdad: si quieres avanzar, ¡tendrás que mostrarte!

10

PASO 3.
¡FIJE UNA POSICIÓN!

Si no tienes algo por lo cual luchar,
cualquier cosa te vencerá.

—Martin Luther King Jr.

Con el fin de ganar en la vida, uno deberá fijar su posición, enfrentar la vida y los desafíos que ella nos presenta con espíritu de determinación y con una mente comprometida. Yo no estoy hablando de asumir una postura física, más bien me refiero a fijar una postura personal. Lo invito a que busque a personas que se movilicen en silla de ruedas, que no puedan asumir ciertas posturas físicas en particular, y observará que estas personas tienen fijadas sus posturas con valor en su interior.

DESARROLLE EL LÍDER QUE LLEVA DENTRO

Mi amigo Art Berg, el orador y fundador de eSpeakers (el sistema de calendario para los oradores en línea), quedó paralizado debido a un accidente automovilístico cuando era muy joven; sin embargo, él logró realizar muchas cosas increíbles en su vida, como ser designado el Joven empresario del año por la Administración de Pequeños Empresarios y fue destacado como historia de éxito en la sección Historias de Grandes Victorias, de la revista *Success*.

Art estaba confinado a una silla de ruedas, pero dentro de sí siempre se ponía de pie, enfrentaba sus desafíos con valor y manifestaba compromiso con la excelencia (le recomiendo conseguir una copia de su libro *The Impossible Just Takes a Little Longer*, lo encontrará muy inspirador); él consideraba que la suerte es el equipamiento con el que uno viene, pero el destino tiene que ver con la forma en que uno usa ese equipamiento.

Ahora es momento de ubicarse de pie dentro de sí para que enfrente sus problemas y sus desafíos con resolución y compromiso. Uno debe ponerse de pie para ser contado, eso implica tener valor. *El valor* es "la fuerza moral, mental y espiritual que se necesita para enfrentar el peligro, la dificultad y la oposición, es la fuerza imprescindible para avanzar con determinación". Tener valor no significa no sentir temor, sino la disposición a continuar avanzando a pesar de nuestros temores.

Se necesita valor para enfrentar los desafíos de la vida de manera racional. Algunos, tal como los avestruces, ocultan su cabeza en la arena y esperan hasta que el desafío desaparezca. En realidad, se necesita tener valor para afrontar los retos y no darse por vencidos. Y eso, mis queridos amigos, empieza cuando somos honestos con nosotros mismos.

Con el fin de vivir la vida de la mejor manera, uno debe ser muy sincero consigo mismo, y eso podría llegar a ser muy difícil. A mí me ha pasado, con frecuencia debo luchar por enfrentar mis propias debilidades y he tenido que reunir fuerzas para ser honesto conmigo mismo. Me di cuenta que la única manera de mejorar mi futuro y mis finanzas era mejorando yo mismo. La única manera de mejorar tenía que ver con ser honesto conmigo mismo y esforzarme por trabajar en corregir mis defectos.

Cuando era más joven, me engañaba a mí mismo pensando que para tener autoestima necesitaba ser perfecto. Más adelante, después de enfrentar desafíos en la vida y experimentar un fracaso tras otro, aprendí que para tener una vida mejor, necesitaba hacer el compromiso de mejorar mi situación. Eso no significa que no tuviera amor propio o que no me sintiera a gusto conmigo mismo, más bien, significa que tenía suficiente amor propio para reconocer que había áreas en las que podía mejorar. Una vez que entendí el concepto del desarrollo personal y del aprendizaje de por vida, todo cambió. Y cuando yo cambié, las cosas empezaron a cambiar para mí.

Así que mi vida cambió cuando estuve dispuesto a ser honesto conmigo mismo y a enfrentar mis propios asuntos. Tal como un alcohólico no puede mejorar si no reconoce su problema, de la misma manera nosotros no podemos mejorar hasta cuando reconocemos que tenemos un problema y que necesitamos cambiar. En su libro *Just Be Honest*, Steven Gaffney escribe: "Las peores mentiras que dices son las mentiras que te dices a ti mismo".

Uno de los grandes desafíos que se debe superar para alcanzar el éxito es vencer al enemigo que llevamos dentro, es decir, al enemigo que vemos en el espejo todos los días.

Pues tal como lo dice Michael Jackson en su canción: "*Man in the mirror*" (hombre en el espejo), debemos empezar con la persona que vemos reflejada en el espejo cada día. Si hemos de convertirnos en la mejor persona según nuestras posibilidades, debemos empezar por trabajar con nosotros mismos, a estar dispuestos a cambiar nuestra forma de ser, según sea necesario, y comprometernos a mejorar y a crecer. También debemos tener el valor de ser honestos con nosotros mismos y a confrontar nuestras propias creencias y comportamientos autolimitantes, aquellos que nos impiden vivir al máximo de nuestras posibilidades.

HERIDAS, HÁBITOS Y COMPLEJOS

Todos tenemos heridas del pasado, así como hábitos y complejos que afectan nuestros esfuerzos y lo que intentamos alcanzar; sólo hasta cuando podamos reconocerlos y manejarlos, lograremos avanzar. No nos engañemos: Nuestras heridas, hábitos y complejos nos pueden impedir alcanzar lo que deseamos. De hecho, estas situaciones nos pueden mantener en un estado de temor y aprensión. En esta sección deseo que consideremos con detenimiento cómo manejar nuestras heridas, nuestros hábitos y nuestros complejos, que se asemejan a grilletes que nos impiden llegar tan alto como deberíamos.

Las heridas

Las heridas del pasado nos llenan de temor y nos impiden darle una oportunidad a nuestros sueños, nos hacen darnos por vencidos sin siquiera intentarlo. Piense en la historia del jovencito que percibió el olor de un delicioso pastel de cereza que su madre había hecho y que estaba puesto sobre la estufa para que se enfriara. El joven intentó llevarse furtivamente un pedazo del pastel, pero cuando agarró la sartén, se quemó su mano y nunca se olvidó del dolor, de modo que nunca más volvió a tocar un pastel de cereza, estuviera frío o caliente; él se negaba la posibilidad de disfrutar del delicioso pastel de cereza debido a una herida del pasado.

En ocasiones, las heridas provienen de las personas a quienes amamos y en quienes confiamos, su forma de pensar negativa altera la nuestra para siempre. Muchos individuos tienen grandes habilidades y talentos pero no hacen nada con ellos porque alguien en su pasado los hirió con palabras o acciones negativas.

Esto me recuerda una ocasión en la que pronuncié una conferencia en Columbus, Ohio, en el Hotel Hyatt. Unas cuantas horas antes de que iniciara el programa, fui a dar un vistazo al auditorio y encontré a un hombre preparándose para cantar el Himno Nacional. Cuando él empezó a calentar y a cantar unas cuantas estrofas, me di cuenta de que tenía una gran voz. En ese momento supe que iba a ser muy agradable escucharlo durante el programa, sin embargo, mientras el hombre ensayaba, una mujer que estaba fregando el piso le dijo a su compañera: "Oye, Marge, sabes el nombre del gato que se murió", y enseguida empezó a reírse.

Desde luego, miré a la mujer con total asombro y le dije: "¿Cómo puedes ser tan negativa?" Afortunadamente, el cantante no había escuchado su comentario.

Ella contestó: "Sólo estaba bromeando". Y a pesar de que la mujer pensaba que era diversión inocente, no lo era. Los palos y las piedras pueden romper nuestros huesos, pero las palabras pueden quebrantar nuestros espíritus. Esa es la misma clase de bromas crueles que los padres negativos les dicen a sus hijos; tristemente, las mismas bromas pueden tener un impacto permanente en la autoestima y con el tiempo en los logros de sus hijos.

Únicamente piense en lo siguiente: Si Whitney Houston, Marian Anderson o Aretha Franklin hubieran recibido comentarios negativos de alguien que "sólo estaba bromeando" cuando eran jóvenes, pudieron haber dejado de cantar el resto de su vida. Y no sólo sus vidas serían drásticamente diferentes, también lo serían las nuestras, y estarían empobrecidas a causa de ello. Es necesario ser cuidadoso con sus palabras, tanto las que dice a otras personas como aquellas que se dice a sí mismo. Si les presta suficiente atención, quizá usted también podría tropezar en la vida pensando que nació para perder, cuando en realidad ¡nació para ganar!

Los hábitos

Tenemos *hábitos* que sabemos que nos perjudican, sin embargo, continuamos repitiéndolos porque no estamos dispuestos a cambiar ni nos disponemos a ir a través de la lucha y la disciplina del cambio. No nos preparamos para enfrentar los hábitos ni el dolor que implica el cambio. Un ejemplo de mi vida es la costumbre que tuve por muchos años de llegar tarde. Siempre programaba muchos compromisos en mi agenda y, como resultado, incumplía algunos o llegando tarde. Cierto día, llegué tarde a una sesión programada para la radio. El ingeniero me dijo que había cancelado una cita pagada para tenerme en su programa y que mi tardanza le había costado un cliente muy importante. Yo me sentí tan avergonzado y abatido por la expresión de su rostro que me di cuenta que tenía que cambiar ese hábito ¡y lo hice!

Ahora, lo invito a que reflexione sobre lo siguiente: ¿Tiene usted algún mal hábito que esté afectando su vida?, ¿tiene usted algunos hábitos que lo perjudiquen o que estén perjudicando a otros a su alrededor? Si así es, debe esforzarse por corregirlos.

Complejos

Finalmente, es posible que tengamos complejos que nos hagan retroceder. Los complejos actúan como bandas elásticas atadas a nuestra cintura que nos impiden avanzar cuando tratamos de ir hacia adelante. Cada vez que intentamos prosperar, aparecen complejos que nos hacen regresar al punto de partida. Como en el caso de la banda, nos movemos y estamos activos pero no logramos llegar a ningún lugar. Para alcanzar el éxito debemos lograr vencer los enemigos que residen dentro y fijar los cambios que necesitamos para poder avanzar. Sólo en ese momento podremos hacer más, ser más y lograr más.

Les contaré ahora una anécdota de mi niñez, mi hermano y yo peleábamos y rivalizábamos continuamente, de modo que nuestros padres decidieron comprarnos uno de esos sacos de arena que tienen un peso en la base y una gran cara feliz pintada en el centro. Cuando uno golpea el saco, este pierde su forma momentáneamente pero poco después la recupera; golpeábamos la bolsa todos los días e intentábamos hacer todo lo posible para mantenerla desfigurada, pero ésta volvía a su forma original, desafiándonos con su cara feliz frente a nosotros.

En ocasiones nos aburríamos con la bolsa, la abandonábamos y nos íbamos a buscar problemas en otro lugar (lo que generalmente nos hacía merecer una corrección de nuestros padres); sin embargo, de vez en cuando volvíamos a la bolsa y la golpeábamos con todas nuestras fuerzas; pero la bolsa siempre volvía a recuperar su forma y a mostrar la misma carita feliz.

En esta situación podemos encontrar una lección de vida y es que, la vida misma, puede golpearlo a uno hasta derribarlo. Pese a ello, uno debe volver a recuperar su estado y hacerlo cuantas veces sea necesario, aunque reciba varios golpes. ¡Y siempre debemos mantener una gran sonrisa en el rostro! Con el tiempo la vida se va a aburrir de darle golpes a uno. Después, cuando menos se espera, la vida vendrá y nos dará más golpes. En esos momentos es cuando se necesita que nos armemos de todo el valor que hay en nuestro interior y digamos: "¡Puedo ser golpeado, pero nunca derrotado, porque soy un triunfador!".

De esta manera, si estamos dispuestos una y otra vez a fijar nuestra posición en la vida y a continuar luchando por nuestros sueños, la vida reconocerá que en realidad queremos alcanzar el éxito y nos dejará tranquilos, mientras se va y encuentra a alguien descuidado que fácilmente se dé por vencido. De nuevo quiero animarlos a hacer lo siguiente: Continúe luchando por sus sueños. Es posible que no los pueda alcanzar tan rápido como quisiera, no obstante, quienes persistan, encontrarán resultados asombrosos en su camino.

Las escrituras cuentan el relato de alguien que va a la casa de un vecino a la media noche y toca la puerta para pedir pan y ofrecerles a unos amigos que han llegado a visitarlo. El vecino se había ido a dormir, aparece reacio por la ventana y dice que él y su familia están descansando e insta al visitante a regresar en la mañana; éste último continúa tocando la puerta y sigue haciéndolo hasta que su vecino viene y le da el pan solicitado. La Biblia declara que el vecino da el pan a la persona, no por su amistad, sino por su insistencia y persistencia. Para ser un ganador en la vida personal y profesional usted deberá persistir con insistencia en todos sus propósitos.

El éxito no siempre se presenta cuando se desea, por lo tanto, usted deberá persistir. Para ilustrarlo, en mi segundo año de estar en el negocio de la oratoria, Les Brown, "El motivador," me nominó para ser inscrito en el Salón de la Fama de los conferencistas de motivación personal, como lo mencioné al principio de este libro; sin embargo, no obtuve la inscripción. El siguiente año también fui nominado, y el siguiente y el siguiente, ¡pero en ninguno de esos intentos obtuve la inscripción!

Por supuesto, tuve que luchar contra el desaliento, que se puede definir como descorazonarse y perder el ánimo para continuar intentándolo. Las opciones que tenía era o amargarme o permanecer positivo en el proceso. Cuando tenemos un problema, no es tanto el problema que enfrentamos, sino la decisión que debemos tomar. ¿Nos amargamos o permanecemos positivos?

Con el fin de alcanzar el honor de obtener la inscripción, hice el compromiso de trabajar en mí mismo y hacer lo que fuera necesario para crecer y convertirme en el tipo de persona merecedora de tal designación; así que empecé a levantarme más temprano, a leer más, a estudiar más, me iba a dormir más tarde, etc., y cada vez que me negaban la inscripción, trabajaba con más ahínco.

Al final, después de años de duro trabajo, fui inscrito en el Salón de la Fama de los conferencistas de motivación personal. La lección que aprendí fue que el verdadero don consiste en ir a través del proceso de crecimiento personal adquiriendo valiosas lecciones durante el camino. A veces, el mayor beneficio de alcanzar una meta no es alcanzar la meta en sí, sino el crecimiento que se logra en el proceso cuando se trabaja para alcanzar la meta.

LA LEY DE MURPHY

A medida que empiece a avanzar tras sus metas y sueños, tenga cuidado, porque el viejo Murphy puede aparecer en el camino. La ley de Murphy presagia que le van a suceder cosas para desanimarlo y apartarlo del camino en el peor momento posible. La historia de mi vida, según se relata en *Chicken Soup for the Christian Soul: Stories of Faith* registra mi experiencia de perder a mi madre, a mi único hermano y a mi padrastro (a quien consideraba mi mentor y padre sustituto) en un periodo de 29 días. Ésta, sin lugar a ninguna duda y tal como ustedes lo pueden imaginar, fue una experiencia muy devastadora.

¿Cómo logré hacer frente a ese periodo? Ese fue un tiempo en el que tuve que confiar en mi fe y en mi actitud para no perder el juicio, tuve que decidir si maldecía porque el rosal tenía espinas o celebraba porque el rosal tenía rosas, o si maldecía porque había perdido a mis seres queridos o celebraba el hecho de haber contado con ellos en mi vida. Y preferí celebrar.

Me apegué a los siguientes principios para hacer frente a los tiempos difíciles y ahora quiero compartirlos, quizá también les sirvan de ayuda:

1. Busque ayuda en su familia, sus amigos y su fe. No tema buscar apoyo para superar la pérdida. Considere los consejos como una ventaja, no como una responsabilidad. Cuando uno se fractura un brazo, ¿qué hace? ¡Busca ayuda médica! Sin embargo, muchas personas cuyo corazón se encuentra quebrantado rehúsan buscar ayuda profesional, intentan sanarse a sí mismos. Recibir consejos no lo hace a uno más débil, más bien le ayuda a hacerse más fuerte.

2. Acepte el hecho de que la vida no es perfecta. Hágase las siguientes preguntas: ¿Maldigo porque el rosal tiene espinas o celebro porque el rosal tiene rosas?, ¿maldigo porque la persona o situación ya no es la misma o celebro que la persona o la situación se hayan presentado?

3. Siga el mantra de Maya Angelou: "Si hay algo en tu vida que no te gusta, ¡cámbialo! Pero si no puedes cambiarlo, entonces ¡cambia tu actitud!" Elija tener una actitud positiva. Abraham Lincoln dijo: "La gente es tan feliz como decide serlo". Elija ser feliz, opte por tener una actitud agradecida.

¿Qué haría usted hoy si decidiera cambiar? Haga una lista de cinco cosas que le gustaría emprender y tan pronto haga esa lista... ¡A TRABAJAR!

11

PASO 4.
¡AVANCE!

El cuarto paso necesario para alcanzar un éxito de cinco estrellas es avanzar. Como si de un encuentro deportivo se tratara, usted deberá ir hasta la cancha y, una vez ahí, hacer el mejor esfuerzo.

VAYA A LA CANCHA Y, UNA VEZ ALLÍ, HAGA SU MEJOR ESFUERZO

Para lograr el éxito que desea, usted debe esforzarse por hacer la mejor parte. En mi nuevo libro, *Stop Playing Small: If You Want to Win Big You Must Play Big!*, propongo y describo siete pasos para lograr el éxito en grande:

1. Inicie con cosas pequeñas, pero siempre piense en grande, incluso con cosas grandiosas que normalmente no pensaría alcanzar. Desista de intentar conseguir cosas pequeñas.

2. ¡Emprenda la acción! Deje de lado las excusas.

3. ¡Sea un ganador! Deje de acobardarse.

4. ¡Utilice su fe para alcanzar el éxito! Deje de preocuparse.

5. No conviene esperar a que una oportunidad se presente... ¡Búsquela!

6. Ponga su regazo donde Dios está arrojando bendiciones. No se ponga a esperar a que Dios arroje bendiciones en su regazo.

7. Ya es hora de dejar de hablar sobre las cosas que le gustaría hacer... mejor que eso, comience a hacer lo que quiere hacer, a continuación podrá hablar de ello.

Por su parte, Mark Sanborn, autor del libro *The Fred Factor*, asegura: "Una de las claves para el éxito personal y profesional es recordar el siguiente principio: Manténgase enfocado en estar muy por encima de cumplir con el simple deber". Con respecto a las funciones de su trabajo, muchas personas dicen: "Ese no es mi trabajo", los ganadores dicen: "Todo es mi trabajo. Lo que se necesite hacer para ver que el trabajo se haga, ¡ese es mi trabajo! ".

Entonces, todos los días deberá avanzar y hacer su mejor esfuerzo, también deberá tener presente que en ocasiones fracasará. Pero no deje por ello de hacer su mejor parte. Las estadísticas demuestran que los mejores bateadores en el béisbol hacen muchísimos más *strikes* que tiros buenos, incluso así, continúan esforzándose por hacer su mejor parte. Hank Aaron tuvo el doble de *strikes* que jonrones, por ello no se puede desconocer que todas las veces que estuvo en la cancha hizo su mejor parte; en ocasiones él falló, pero cuando logró batear la pelota, la sacó de la cancha. Cuando usted tenga la oportunidad de hacer su parte, resuélvase a hacer su mejor parte. Algunas veces fallará... pero cuando logre darle a la pelota, ¡la sacará de la cancha!

Los ganadores están dispuestos a perder con el fin de lograr ganar. Hay quienes no ganan porque su temor a perder es más fuerte que su deseo de ganar. Muchos no son capaces de proponer nuevas ideas porque temen ser humillados si las ideas fracasan, o prefieren hacer las cosas de la forma tradicional y lograr un tipo de éxito moderado, en vez de intentar algo nuevo que podrá traerles un éxito sin precedentes. Sé que puede ser abrumador, pero lo invito a enfrentar sus temores y a ir por sus sueños.

El fracaso es doloroso pero no es el final, a menos que usted decida que es el final. Por otra parte, nada es más doloroso que tener que lamentarse. Mire en retrospectiva en su vida y pregúntese qué cosas hubiera logrado si hubiera tenido el valor de intentarlo.

Hay una historia de un hombre que estaba en su lecho de muerte rodeado de criaturas horribles con ojos saltones y voces espantosas que le gritaban con furia: "Somos los sueños que te fueron dados para que los realizaras, pero por tu temor y falta de fe nunca nos diste la oportunidad. Así que tendremos que morir aquí contigo. ¿Cómo pudiste ser tan incapaz?".

¿Por qué traigo a colación la anterior historia? Para invitarlo a que ¡cobre ánimo y haga su mejor parte! Es probable que falle, pero fallar no es el final, en cambio, retroceder sí puede serlo. El valor no es ausencia de temor, es más bien sentir temor pero continuar avanzando.

En ocasiones, cuando el bateador está listo para golpear la pelota, recibe una bola curva, esta es una pelota que parece que viene perfecta para golpear, pero en el último momento hace un giro extraño. Es posible que la vida le arroje algunas bolas curvas, que se pueden considerar como perturbaciones que intentan detener su progreso; así mismo, es probable que experimente retrasos, es decir, situaciones en la vida que intenten apartarlo del camino hacia la realización de su meta; aun así, no deje que las bolas curvan lo detengan, en ese caso es mejor aprender estrategias para convertir esas bolas curvas en grandes jonrones.

Muchos jugadores de béisbol dicen que la mejor manera de golpear una bola curva es clavar la vista en la pelota, actuar rápidamente y hacer el mejor tiro posible; para golpear las bolas curvas de la vida yo recomiendo esa misma estrategia: Mantener la vista fija en la meta, reaccionar rápidamente ante el desafío y hacer el mejor esfuerzo.

LOS GANADORES NO SE DAN POR VENCIDOS

El poema *"No te des por vencido"*, de Edgar A. Guest, describe muy bien la forma en que debemos hacer nuestra mejor parte, incluso en medio de los tiempos de mayor dificultad. El asunto es tan simple como... ¡no te des por vencido! Debemos aprender estrategias para enfrentar los cambios y los desafíos de la vida. Los tiempos difíciles no son eternos, no obstante, las personas con resolución sí pueden trascender en el tiempo. Intente no sólo atravesar los periodos complicados que trae la vida consigo, crezca a través de estos.

Hace algunos años, cuando jugaba tenis, sufrí una ruptura de ligamentos en un pie. Esa fue una situación que representó un gran desafío, pero a la vez una gran oportunidad para aprender y crecer. Tiempo después, al reflexionar sobre la situación, me di cuenta que algunos de nuestros peores reveses son también nuestra mejor fuente de entrenamiento para producir una forma de pensar ganadora.

¿Qué hace usted cuando empieza a trabajar por sus metas y lo golpea la calamidad? Lo que yo digo es: Primero, uno debe decidirse a mantener la vista fija en la recompensa y no en los problemas porque estos vienen y van. De hecho, es mediante los problemas y las dificultades que crecemos... por eso es que a veces decimos: "Cómo duele crecer"; pese a ello, debemos elegir si pasaremos por los problemas o si creceremos en la medida en que los resolvemos. La decisión que tomemos al respecto determinará nuestras acciones, así como nuestras acciones determinarán nuestros resultados.

Aquí es necesario enfatizar en que, en la vida, a veces recibimos golpes que nos derriban; pese a esto, lo animo a levantarse de nuevo, a sacudirse el polvo, a tomar aliento y a continuar avanzando en el camino por donde van sus metas.

Por otro lado, hace algunos años escuché la historia de un corredor de maratón que fue a la guerra y que se vio involucrado en un accidente terrible. Como resultado, perdió los miembros inferiores de su cuerpo. De hecho, perdió tanto de su cuerpo que ni siquiera fue posible adaptarle unas piernas de prótesis. Este hombre, a pesar de sentirse abatido, resolvió no darse por vencido. Cuando se recuperó de las heridas, le dijo a los médicos que lo primero que quería hacer era empezar a prepararse para ir a otra maratón, ellos le recordaron que ya no tenía las piernas y que sería imposible moverse a menos que utilizara una silla de ruedas. El hombre agradeció a los doctores su preocupación, pero insistió en que iba a correr otra maratón... ¡sin silla de ruedas!

Así que empezó a trabajar en su meta. Inició sus prácticas y durante meses movía su cuerpo de un logar a otro dentro de la casa, luego quiso correr distancias más largas, entrenó por casi un año y finalmente logró recorrer una milla, continuó ejercitándose y luego alcanzó a desplazarse dos millas, después tres y más adelante cuatro; así continuó ensayando hasta que se sintió lo suficientemente listo para correr 26 millas. Empezó la carrera con los demás corredores físicamente capacitados, quienes terminaron el mismo día, en unas cuantas horas, pero no nuestro corredor, a él le tomó dos días hacer el recorrido moviendo su cuerpo de un lado a otro sin parar.

Cuando al final cruzó la línea de meta, sólo estaban allí para acompañarlo su familia y un reportero, y lo hizo con sus manos ensangrentadas y su cuerpo desgastado, el reportero no podía creer que el hombre hubiera continuado, considerando el intenso dolor que seguramente habría experimentado. En el momento en que su familia se alistaba para llevarlo al hospital, el reportero le preguntó cómo era posible que el dolor no lo hubiera detenido, y el corredor le contestó: "Sí, fue doloroso, pero cada vez que el dolor se hacía más intenso, concentraba mis energías en llegar al final y pensaba cómo sería cruzar la línea de meta, la alegría que esto me producía era más fuerte que el dolor que estaba experimentando".

Quiero que sepa, amigo o amiga, que experimentará algunos desafíos en su búsqueda del éxito, pero no se detenga ni se dé por vencido. No permita que los desafíos lo desvíen de alcanzar el éxito, concéntrese en la meta de alcanzar el premio, en vez de pensar en el dolor que experimente; de hacerlo, logrará ver que con el tiempo sus recompensas crecen y sus problemas se hacen más pequeños, y más importante, crecerá y avanzará hacia el éxito.

A pesar del desafío físico de la rotura de mis ligamentos, aprendí de primera mano que mi amigo W. Mitchell, quien había sobrevivido a dos accidentes incapacitantes, tenía razón. Mitchell rehusó darse por vencido a pesar de haber sufrido quemaduras graves en un accidente de motocicleta y luego quedar paralizado en un accidente de avión. La experiencia de Mitchell demuestra que lo que cuenta no es lo que te suceda sino más bien la forma como uno reacciona y lo que hace al respecto. En realidad, estoy convencido de que un revés no es más que una forma de prepararse para una victoria. Yo logré superar el problema de mis ligamentos. Soy un ganador, ¿y usted?

En esta parte quiero compartir unas palabras de Jim Rhone que me fascinan: "No ruegues porque el problema sea más pequeño, ruega para que tú seas más grande. No ruegues para que la situación sea más fácil, ruega para que tú la logres superar. No ruegues para que Dios quite la montaña, ruega para que Dios te haga más fuerte de modo que puedas superar las montañas de tu vida. Ruega para que seas más grande, mejor y más fuerte".

En todos los desafíos se crean nuevas oportunidades si uno está dispuesto a pensar de forma diferente. No debe mirar el desafío como si fuera un problema, considérelo como una oportunidad para tomar una decisión con respecto a su futuro. Lo invito a estar dispuesto a cambiar su perspectiva frente a los desafíos de la vida, también lo animo a verlos como oportunidades de crecer, en vez de considerarlos simplemente como situaciones que hay que atravesar.

Además, pienso que la mejor forma de predecir el futuro es creándolo. Así que, cobre ánimo, despiértese, empiece a soñar, avance, crezca y ocúpese en vivir la vida a otro nivel.

Utilice los cambios y los desafíos de la vida para llegar al siguiente nivel. En el capítulo tres de este libro consideramos tres aspectos claves para el éxito en la vida profesional: el cambio, el desafío y la decisión. Apliquemos estos conceptos para alcanzar el éxito en nuestra vida personal.

EL CAMBIO

Alguien dijo alguna vez que lo único constante en la vida es el cambio y este a su vez hace parte del proceso del éxito. No obstante, el trabajo implica ir a través del proceso de cambio.

El cambio es constante y puede resultar incómodo. No nos gusta cambiar. No importa cuántos libros leemos o a cuántos seminarios asistamos relacionados con "abrazar el cambio", porque éste sigue siendo incómodo, y lo es porque somos criaturas de hábito proclives a continuar haciendo lo que siempre hemos hecho; sin embargo, si queremos crecer, debemos cambiar.

Intente hacer este ejercicio: Deténgase, cruce sus brazos y observe cuál quedó encima (suelte el libro por un momento y cruce los brazos), ahora cambie los brazos. ¿Notó lo incómodo que resulta? La razón por la que es incómodo se debe a que usted ha estado cruzando los brazos de la misma manera toda su vida, incluso desde antes de nacer. Los bebés empiezan a cruzar los brazos en el vientre de la madre y, mientras están en el útero, no cambian la forma de cruzar los brazos. Somos seres de hábitos y, por lo tanto, es muy, muy incómodo el cambio. No obstante, para crecer se necesita el cambio. Tenemos que trabajar en los hábitos que nos impiden crecer y alcanzar el éxito en los niveles más altos de la vida.

Ahora, les quiero comentar cuando cantaba de tiempo completo en el club, casi todas las noches interpretaba la canción *"Everything Must Change!"*, pero nunca reparé en lo profundo de esas palabras. Años después me di cuenta que estaba cantando una gran verdad. En realidad todo cambia. De hecho, todo *tiene* que cambiar y sólo los más rápidos en adaptarse al cambio logran ganar al mejor nivel.

Todo progreso es el resultado del cambio. Todo lo que usted esté experimentando en este momento es el resultado del cambio, este libro es resultado del él, la alcoba iluminada con bombillas en vez de velas, resultó del cambio. Si usted está leyendo este libro en la pantalla de un computador, también es fruto del cambio. Del mismo modo, si usted está escuchando este libro en formato de audio o viendo este mensaje a través del DVD, también es resultado del cambio. Piense en el tiempo durante el cual no había computadores, discos compactos ni DVDs o videos. Todo este progreso es el resultado del CAMBIO. ¿Comprende, pues, por qué debemos ver el cambio como un aliado y no como un enemigo? Si así lo hacemos, podemos vivir una vida mejor.

Ahora bien, si usted tiene hijos, recordará que cuando eran infantes se movían de un sitio a otro gateando. Y entonces, cierto día ocurrió el milagro y se pusieron de pie por primera vez. Se mecían, tambaleaban y frecuentemente se caían. Pero ningún padre le dice a sus hijos: "Permanece allí en el piso, bebé". Al contrario, les dicen: "¡Levántate! ¡Inténtalo de nuevo! ¡Ven donde está mamá! ¡Ve donde está papá! ¡Inténtalo de nuevo!"; el bebé prueba otra vez y repite la caída. Pero lo intenta hasta que aprende a permanecer de pie. Los bebés dan el primer paso, el segundo y luego el tercero; cuando el bebé se cae, a veces lo hace hacia atrás y otras de frente; aun así, el padre no le impide al bebé que lo siga intentando. Tanto madres como padres animan a sus bebés a continuar ensayando una y otra vez.

Los padres saben que si el bebé no se cae y lo intenta de nuevo, nunca aprenderá a caminar. Y si el bebé no se cae y lo vuelve a intentar, nunca aprenderá a correr. Si el bebé no se cae y lo vuelve a intentar, nunca logrará maximizar sus habilidades. Y con todo, muchas personas que fracasan en sus intentos de alcanzar una meta se desaniman y se dan por vencidas, al hacerlo, obstaculizan sus posibilidades y su éxito a largo plazo.

Considere el cambio como una lucha por la cual vale la pena hacer el esfuerzo.

EL DESAFÍO

En la vida es común que surjan desafíos. ¿Qué es un desafío? Es algo que prueba la resolución y determinación de alguien para continuar adelante pese a los obstáculos.

Las adversidades no tienen por qué ser el final del camino, sin embargo, pueden significar un giro en el mismo. Y cuando hay un giro en el camino, uno puede girar e ir en otra dirección. De hecho, los únicos que se estrellan son los que no pueden cambiar. Como le ocurre a Wylie Coyote en la serie del Correcaminos, no logra cambiar su curso e inevitablemente se estrella contra una montaña. Debemos aprender a navegar en los vientos cambiantes y adaptarnos a los cambios en el camino a medida que continuamos adelante con nuestra meta en la mira.

Nuestros desafíos, como todo lo demás en la vida, se ven afectados por la ley de Murphy, que dice: "Si algo puede salir mal, va a salir mal". Y yo agregaría: "En el peor momento posible". Marlon Brando dijo en una ocasión: "El mensajero de la miseria (es decir Murphy) visita a todo el mundo sin excepción". Murphy tiene nuestro nombre, dirección y teléfono apuntados en su libreta y tarde o temprano va a venir a visitarnos. Un hombre aseguró, en uno de mis programas, que Murphy no lo iba a visitar sino que tenía una habitación en su casa, lo cual generó la risa de todos los presentes.

LA DECISIÓN

El éxito en la vida está relacionado con las decisiones que tomamos. Mi amigo Marlon Smith, motivador en temas de tecnología y presidente de *Success by Choice*, es conocido por decirle a las audiencias que "el éxito es una decisión". Y en verdad, el éxito es un asunto de decisión, uno elige dormir o levantarse y mantenerse ocupado, uno opta por pensar en grande o pensar de forma reducida, uno decide continuar luchando por sus sueños o darse por vencido.

A todos nos suceden cosas que no podemos controlar, de modo que tenemos que tomar decisiones. No podemos escoger las cosas que la vida nos presenta, pero podemos escoger la forma como respondamos ante las cosas que nos suceden. Es como lo digo en mis discursos: No podemos controlar lo que nos sucede ni lo que pasa a nuestro alrededor, pero tenemos el control completo de lo que sucede *en nuestro interior*. Así que es necesario decidir tener una perspectiva positiva hacia todos los eventos de la vida.

VAYA AL SIGUIENTE NIVEL

Luego de ir a la cancha y hacer su mejor parte, debe llevar su juego al siguiente nivel, es decir, encontrar la manera de mejorar consistente y continuamente. Mi discurso de hoy debe ser mejor que el de ayer; no obstante, mañana mi discurso ha de ser mejor que el de hoy.

¿Por qué? Después de mi discurso de hoy debo trabajar en mi mensaje y mejorarlo. Debo tener un gran deseo de mejorar. No puedo olvidar el puente que me trajo hasta donde he llegado, el puente llamado "mejor", que ha hecho que mi negocio cambie. He estado haciendo el compromiso de mejorar y de crecer de forma constante y progresiva, de modo que pueda progresar en mis conferencias y como persona. Las lecciones que aprendí con respecto a hacer el compromiso de perseguir la excelencia son las que me ha ayudado a crecer.

Así que, haga el compromiso de desarrollarse como persona. Haga el compromiso de leer un libro de autoayuda o de desarrollo personal de aquí a un mes. Mientras tenga vida esfuércese por continuar mejorando. Aprenda un nuevo idioma o una nueva habilidad, o tome cursos para llevar sus habilidades presentes a otro nivel. Esto no sólo le ayudará a mejorar sino que, y hay estudios que lo indican, aprender un nuevo idioma o fortalecer las habilidades vigoriza el cerebro y ayuda a prevenir el desarrollo de la enfermedad de Alzheimer. Cualquiera que sea la razón por la cual usted haga el compromiso, le aseguro que cuando cambie, las cosas cambiarán para usted.

Entonces, el cambio, el desafío y las decisiones hacen parte del programa de desarrollo personal para los ganadores. Póngase de pie para la vida, póngase de pie para usted mismo y póngase de pie para enfrentar tanto los cambios como los desafíos de la vida y haga la siguiente declaración: "Soy un ganador y los ganadores nunca se dan por vencidos ni se retiran, los que se retiran nunca ganan, y ¡soy un ganador!"

12

PASO 5.
¡PIENSE DE FORMA ANTICIPADA!

Cuando digo pensar de forma "anticipada", literalmente quiero decir que deseo que ustedes se anticipen aun en los tiempos "difíciles". Anticiparse significa pensar en las verdaderas posibilidades en vez de las probabilidades. Pensar con las probabilidades significaría que un cantante de un club nocturno que fuera despedido, iría a banca rota, desarrollaría una actitud de indignación, y que tendría muy pocas probabilidades de tener una carrera exitosa como conferencista profesional. Sin embargo, el pensamiento de la posibilidad dijo: "Willie, ¡date una oportunidad! ¡Siempre has tenido el deseo de inspirar a otros! Además, ¡no debes permitir que tus circunstancias presentes determinen tus posibilidades futuras! ¡Adelante! ¡Todo es posible!". Por lo tanto, me concentré en las posibilidades.

Adicional a ello, pensar de forma anticipada significa proyectarse, anticiparse a las necesidades y a los planes de otros hacia futuro, significa ser como una hormiga, una de las criaturas más productivas de la tierra, ellas se preparan para el invierno mientras todavía es verano y no permiten que el primero llegue sin tener suficientes suministros para sobrevivir, piensan en el invierno durante todo el verano.

Pensar anticipadamente es pensar con respecto a las metas que se desean alcanzar, también implica ser proactivo con respecto a las cosas que se necesita hacer, en vez de tener que esperar a que alguien tenga que mencionarlo. Por ejemplo, cuando contrato personal siempre busco a individuos que sean pensadores proactivos, son el tipo de personas que no necesitan que se les diga diariamente lo que deben hacer sino que, por el contrario, aportan ideas para que podamos alcanzar las metas de forma más rápida. Comience a prepararse y a pensar con respecto al mañana hoy mismo.

Pensar de forma anticipada también implica ir más allá e imaginar en lo extraordinario. Todos hemos escuchado la frase popular: "Piensa por fuera del cuadro". Nido Qubein, Presidente de High Point University y experto en crecimiento comercial dice, sin embargo, que no podemos detenernos allí, "tenemos que desechar la caja completamente y aprender a pensar más allá de los confines de cualquier caja en la cual alguna vez hayamos estado".

Entonces, siempre busque maneras de hacer que su éxito aumente implementando nuevas estrategias e ideas para alcanzar sus metas; por ejemplo, en cierta ocasión me contrataron para trabajar en dos ciudades diferentes el mismo día, una era Florida y la otra Maryland; no había vuelos disponibles que me llevaran de un lugar a otro en los horarios apropiados ni podíamos cambiar el horario del evento en ninguno de los dos lados, mucho menos contratar un vuelo privado, pues era demasiado costoso.

De modo que empecé a pensar en salirme del cuadro y le pregunté a mi cliente en Maryland si estaría bien que estuviera presente allí aunque no *físicamente*.

Él dijo: "Sí, está bien".

Yo sugerí hacer una transmisión "en vivo" por televisión desde la ciudad donde me encontraba, en la Florida. ¡A él le gustó la idea! Yo hablé desde un estudio de televisión en Orlando y después atravesé la cuidad para llegar a tiempo donde mi otro cliente.

En su memorable libro *Think and Grow Rich (Piense y hágase rico)* Napoleón Hill escribió: "Lo que la mente humana del hombre pueda concebir, también lo puede alcanzar". Earl Nightingale afirma que la razón por la cual la mayoría de las personas no logran alcanzar el éxito en la vida, no es por falta de talento o habilidad, sino porque sencillamente no piensan. Hay un versículo del libro de Proverbios que dice: "Porque así como lo piensa un hombre en su corazón, así resulta ser". Para vivir una vida y una organización cinco estrellas, debemos hacer el compromiso de pensar por adelantado. Piense en las posibilidades y diseñe un plan para hacer que sus sueños se conviertan en realidad.

Una de las técnicas más efectivas para lograr un estilo de vida cinco estrellas es iniciar toda actividad pensando en el fin. Cuando se inicia una actividad pensando en el fin, se empieza pensando en la forma más eficaz para alcanzar la meta final. Imagine por un momento que alguien inicia un largo viaje pero que no se toma el tiempo para trazar su ruta. ¿Arrancaría usted en su automóvil y empezaría a conducir sin planear la ruta?

PREPARE SU MENTE PARA GANAR

En el capítulo cinco, mencioné que es muy importante preparar la mente para *ganar*, lo que significa hacer *lo que sea necesario* para complacer a los clientes. Ahora quiero aplicar la misma consideración al tema del éxito personal, con el objeto de obtener más de los desafíos de la vida. Como lo mencioné antes, considero que para alcanzar el éxito no hay nada más importante que preparar la mente. Si usted prepara su mente, no va a permitir que algo lo detenga y con seguridad logrará alcanzar su meta.

Anteriormente mencioné que la hormiga es una de las criaturas más increíbles que Dios ha hecho, ella piensa por anticipado y se prepara para el invierno durante todo el verano. No obstante, eso no es lo más sorprendente con respecto a la hormiga, ella cuenta con una disposición de preparación, una disposición ganadora. Estos insectos alcanzan su meta y mucho más. Si uno pone un trozo de pan frente a una hormiga y luego pone una fila de ladrillos entre el pan y la hormiga, ella hará lo que sea necesario para llegar hasta el pan, irá alrededor de los ladrillos o se subirá a ellos, inclusive cavará por debajo de estos, lo cierto es que va a llegar hasta donde está el pan. Podemos estar seguros de que el problema es que la mayoría de las personas no programan su mente de una forma efectiva, dicen que quieren alcanzar sus metas, pero unos pocos están realmente comprometidos en alcanzarlas.

Por ello, para tener un enfoque mental de ganador usted deberá estar dispuesto a continuar, pese a los obstáculos, prepare su mente y comprométase a adquirir sus metas sin ansiedad ni vacilación. Cuando proceda así, logrará obtener más. Los cantantes… cantan, los bailarines… bailan, los corredores… corren, y los ganadores… ¡ganan! Los ganadores encuentran la forma de ganar, es posible que no sepan exactamente cómo van a ganar, pero lo que sí es seguro es que encontrarán la forma de hacerlo. Joe Montana, el famoso mariscal de campo, se forjó la reputación de encontrar siempre la forma de ganar como jugador. Michael Jordan, considerado el "ganador" más grande en la historia del baloncesto, convirtió buscar la manera de ganar en hábito.

Por su parte, Magic Johnson, la estrella del baloncesto que se convirtió en empresario, desarrolló su actitud ganadora cuando todavía era adolescente, ello le ayudó a conseguir los resultados asombrosos que conocemos; cuando estaba en la secundaria, condujo a su equipo a ganar el campeonato estatal. Cuando estuvo en la universidad, propició que su equipo ganara el campeonato nacional. Cuando entró a las filas del baloncesto profesional, condujo a su equipo a ganar el campeonato de la NBA. Cuando fue infectado con el virus del VIH, muchos pensaron que sus días estaban contados; pero de nuevo, su actitud de ganador le ayudó a luchar contra este obstáculo monumental. Mientras luchaba para cuidar y proteger su salud, entró en la arena de los negocios y de nuevo consiguió ganar, así se ha convertido en uno de los empresarios más prolíficos de América, encontramos teatros y restaurantes Magic Johnson, tiendas de café Starbucks y proyectos de desarrollo de vivienda. Magic Johnson ha demostrado una vez más que los ganadores ganan. Ha logrado vivir exitosamente con el virus del VIH por más de 15 años.

Los ganadores no siempre saben cómo es que van a ganar, sencillamente esperan ganar, y una y otra vez encuentran la manera de ganar, lo hacen a pesar de obstáculos imponentes. Cuando pensamos en ganar, normalmente pensamos en quienes ocupan el primer lugar o quienes son primeros en una competencia, pero esa no es la totalidad de los ganadores. Ganar también tiene que ver con vencer nuestras propias autolimitaciones para poder alcanzar nuestras metas. Booker T. Washington dijo: "No es lo que usted logre en la vida, sino más bien las cosas que supere para poder lograrlo".

Ganar es mucho más que simplemente cruzar la línea de meta en la primera posición, también significa hacer el compromiso personal de luchar a través de los desafíos con el fin de alcanzar la meta. Implica ejercer un gran esfuerzo. Y la mayoría de las veces, hacer un gran esfuerzo significa superar las propias creencias autolimitantes. Luego de ser la primera persona en escalar exitosamente el Monte Everest, Sir Edmund Hillary dijo: "No es la montaña lo que conquistamos, el logro más grande fue habernos conquistado a sí mismos". Hillary declaró que tuvo que vencer sus dudas, temores, vacilaciones y pensamientos de abandonar la lucha con el fin de alcanzar su meta.

Ganar en la vida implica hacer un gran esfuerzo, y la razón por la cual muchas personas no ganan es porque no logran ejercer un esfuerzo suficientemente consciente. Infinidad de individuos con una verdadera sinceridad inician el camino de cumplir sus metas y trabajan duro en ello... por un tiempo; pero entonces se presentan los desafíos y se dan por vencidos, no pueden sostener los esfuerzos y por lo tanto no logran ganar.

¿Qué puede lograr cambiar este patrón?, ¿qué puede ayudar a la gente a obtener mayor éxito en su vida personal y profesional?, ¿qué puede hacer que la gente logre una constante para mantener el éxito? Es el desarrollo de una actitud de ganador, es el compromiso de desarrollar la voluntad de ser un ganador.

¿Cómo se consigue esa actitud de ganador? En primer lugar, inicie diciéndose a sí mismo que es un ganador, mírese en el espejo y dígase a sí mismo que nació para la grandeza. Repita esto cada vez que se mire en el espejo, al menos tres veces al día; a continuación, haga el hábito de llenar su mente con lo puro, lo convincente y lo positivo. ¿Cómo puede hacer esto? Lea un libro de autoayuda al mes. Cuando se despierte, apague la radio en esos primeros 20 minutos y, en cambio, escuche 29 minutos de mensajes positivos. Rechace participar en conversaciones negativas. Descubra cinco cosas pequeñas por las cuales agradecer todos los días. Realizar estas acciones generará una reserva de posibilidades. Luego, piense en las cosas grandes que desea alcanzar y empiece a prepararse para recibirlas.

Hay una historia de un hombre que hablaba acerca de poseer un Bentley que había visto en un salón de automóviles, conseguía fotos de automóviles de esta marca y las colgaba en su alcoba para mirarlas todos los días, luego, perdió su empleo y decidió empezar su propio negocio, que operaba desde su habitación auxiliar. Cierto día fue a su garaje y despejó el lugar. Cuando los miembros de su familia le preguntaron por qué había hecho eso, él dijo: "Porque aquí es donde va a ir mi Bentley"; ellos se rieron y le dijeron que había perdido el juicio, ya que apenas lograba sobrevivir con su nueva empresa. Pero él no se rió, simplemente continuó trabajando en sí mismo, en su negocio y preparándose para el día en que pudiera parquear su Bentley en su garaje.

El hombre iba todos los días en las mañanas a la librería y estudiaba. En las tardes iba y limpiaba el garaje donde el Bentley iría a estar estacionado. Todo el mundo continuaba riéndose de él, pero él seguía trabajando en sí mismo y en su sueño. Un par de años después, este hombre condujo su Bentley hasta el garaje que había preparado.

En mi escritorio tengo un letrero que dice: "Los ganadores hacen que las cosas pasen, mientras que los perdedores dejan que las cosas pasen". Otra forma de decir esto mismo es: "Algunas personas hacen que las cosas pasen, otras observan lo que sucedió, y los demás vienen alrededor y preguntan: "¿Qué pasó?". Sin importar lo que alguien quiera agregar, la verdad continúa para los ganadores: ¡Ellos toman la decisión de ganar!

OBSTÁCULOS EN CONTRA DE NUESTRO PROPIO ÉXITO

Cuando se les pregunta a muchas personas sobre qué les impide ser exitosas, culpan al gobierno, la economía o sus familias. Muchos culpan a los "ismos" de la vida. Usted sabe a lo que me refiero: sexismo, racismo y cosas por el estilo. No obstante, la única cosa que la gente olvida poner en la lista de culpables es un factor muy importante: ¡Ellos mismos! Nosotros somos el principal obstáculo de nuestro éxito.

Se dice que el éxito sigue la regla 80-20. En el entorno corporativo la dinámica 80-20 dice que el 80 por ciento del trabajo proviene del 20 por ciento del personal. En el terreno personal podemos analizarlo desde la siguiente perspectiva:

Somos responsables del 80 por ciento del fracaso de nuestras metas, los obstáculos constituyen sólo el 20 por ciento del problema. Es como lo dijo Pogo: "Hemos descubierto que el enemigo está dentro de nosotros mismos". Tenemos que ser absolutamente honestos y reconocer que nosotros mismos somos el desafío más grande para lograr nuestro propio éxito. Si usted desea ganar, deberá actuar con respecto a *dejar* que las cosas sucedan y más bien debe *obrar* para que las cosas sucedan. Recuerde, ¡de usted depende!

DECIDA GANAR / REHÚSE PERDER

Hace poco tomé un vuelo de 23 horas con destino a Japón. Había planeado escribir un par de capítulos para mi nuevo libro durante ese tiempo. Hasta compré una batería de larga duración para mi computador portátil. Luego de abordar el avión, ajusté mi silla listo para ponerme a trabajar, presioné el botón de encendido del computador, ansioso porque prendiera la pantalla, y no pasó nada. El computador no prendía. Intenté una y otra vez, pero nada pasó; entonces me di cuenta que el problema lo tenía la pantalla, esta se había descompuesto y mi computador sencillamente no iba a funcionar.

Para ese momento, no sólo me sentía decepcionado sino también frustrado. Pero sabía que tenía que tomar una decisión y recordé una cita que había aprendido años atrás: "Cuando las cosas no resulten y tengas que enfrentar grandes desafíos, no tienes por qué dejar que el problema decida por ti, eres tú quien tiene que tomar un decisión". Así que decidí hacer uso del plan B, escribí los caracteres en mi teléfono celular. El teclado era pequeño, y mis dedos quedaron apiñados, pero logré realizar el trabajo.

Los obstáculos siempre intentarán distraerlo y alejarlo en su camino por cumplir las metas. Cuando se presenten desafíos en la vida, recuerde: No deje que el problema decida por usted, es usted quien tiene que tomar una decisión. Decida ganar, rehúse perder y avance a pesar de los desafíos.

¿Qué desafíos lo o la están deteniendo?, ¿qué asuntos le impiden lograr sus metas? Y más importante aún: ¿Qué va a hacer al respecto? Los animo a seguir aprendiendo, a seguir esforzándose y a nunca darse por vencidos.

Todo comienza cuando se tiene una actitud de ganador, eso incluye tener una mente preparada que afirma: "Voy a ganar"; también mantiene la expectativa de que va a ocurrir de alguna manera, en cualquier momento. Lo animo a preparar su mente para ganar.

Intente este ejercicio. Póngase de pie. Incline su cuerpo tanto como pueda hacia la derecha (¡Hágalo ahora, yo lo espero!). Ahora que usted ha ido tan lejos como ha podido, quiero que lo intente esta vez con más intensidad. (¡Tranquilo! Yo lo espero de nuevo) ¿Se dio cuenta cuánto más lejos pudo llegar cuando se esforzó por segunda vez? Lo mismo sucede con las metas y los sueños. Dicho esto, tengo una invitación importante para usted.

Imagine que el día de hoy fue al médico, este le dijo que tenía una enfermedad extraña. Esta enfermedad le asegura que usted va a morir en un año. Pero también le garantiza lograr todo lo que usted intente. ¿Qué cosas, sólo 10, intentaría usted si supiera que no puede fallar? Utilice un papel y escriba esas 10 cosas. Piense en grande, tanto como pueda, y sueñe tan grande como pueda. Una vez haga esto, hágalo de nuevo pero esta vez intente llegar más lejos. ¿Qué tiene para temer y qué tiene para perder? ¡Dése la oportunidad!

EL PODER DE FIJARSE METAS

¿Desea lograr el éxito en grande y conseguir grandes resultados? En mi primer libro, *Solo toma un minuto cambiar su vida*, escribí acerca de Arnold Schwarzenegger, actual gobernador del Estado de California, quien descubrió algunos de los secretos del *éxito masivo*. Usted puede aplicar las mismas tácticas que él aplicó para hacer que sus sueños se conviertan en realidad.

Aunque Schwarzenegger dejó Austria con unas pocas posesiones, llevó consigo algo mucho más importante que el dinero y que cualquier posesión: Un sueño y la determinación de hacerlo realidad. Él escribió su sueño en una tarjeta de indexación y lo llamó su "contrato personal", el que hizo consigo mismo.

En la tarjeta también escribió sus cuatro metas. Arnold lo leyó diariamente y se prometió a sí mismo que haría estas cosas realidad, las cuatro metas eran: (1) ser el mejor físico culturista de toda la historia; (2) convertirse en una estrella de cine adinerada; (3) casarse con alguien de una familia prestigiosa; y (4) ser exitoso en la política.

Así pues, Arnold Schwarzenegger se convirtió en la persona más joven en recibir el título de Míster Universo, ganó el título de Míster Olimpia en siete ocasiones antes de retirarse y empezar a hacer su carrera en el cine, en su primera película se representa a sí mismo como físico culturista; después, continuó desarrollando sus habilidades en la actuación y, con el tiempo, se convirtió en una de las estrellas mejor pagadas de la industria.

La tercera meta de Arnold era casarse ¡y lo hizo! Se casó con alguien de la prestigiosa familia Kennedy. También hizo el compromiso de volverse políticamente activo. En primer lugar, fue el encargado del *President's Commitee on Physical Fitness* y luego se hizo un miembro activo del Partido Nacional Republicano; sin embargo, pese a lo anterior, sabía que todavía podía alcanzar otros logros. Arnold leyó de nuevo su "contrato personal" y se dio cuenta de que aún tendría que llegar a ser exitoso en la política, de modo que se impuso esa meta, ¡y la logró! En noviembre de 2003, Arnold Schwarzenegger se convirtió en el gobernador electo del Estado de California.

En el proceso de alcanzar el éxito en América, Schwarzenegger aprendió cómo el tener metas claras y un profundo sentido de compromiso con esas metas puede transformar la vida, las finanzas y su futuro; él aprendió a convertir sus metas en realidad y desarrolló la confianza necesaria para hacer que esas metas se realizaran. El gobernador Schwarzenegger ha demostrado que imponerse metas trae grandes recompensas, y que aquellos que se fijan metas claras y se comprometen con alcanzarlas son quienes logran resultados asombrosos.

Arnold Schwarzenegger nos da un ejemplo bastante claro sobre el poder de las metas y cuál es el enfoque mental de un ganador. Los ganadores... ¡ganan! Tienen una mente ganadora, actitud de ganadores y esperan ganar. En la historia de Arnold Schwarzenegger vemos los secretos de lo que implica tener éxito a largo plazo, primero, tener una visión; segundo, fijarse metas; tercero, hacer el compromiso de alcanzar esas metas; cuarto, hacer un compromiso con sus propios compromisos; quinto y final ¡no darse por vencido nunca!

Si usted está dispuesto a soñar el gran sueño y va y hace el trabajo necesario para convertir sus metas en realidad, entonces también podrá lograr alcanzar lo que otros llaman imposible. Que todos aprendamos de Schwarzenegger. Ponerse metas trae recompensas. Las escrituras dicen: "Escribe la visión y hazla firme, para que el que la lea pueda correr la carrera". Escriba sus metas. Téngalas bien claras y enfocadas. Luego, manténgase ocupado en alcanzar esas metas. Si lo hace, con el tiempo podrá ser como Arnold Schwarzenegger. Empezará a hacer historia y a lograr cosas que otros consideran imposibles... y en el proceso, ¡podrá empezar a vivir sus sueños!

¿Metas o compromisos?

Simon Bailey, el conferencista internacional y autor, declara que debemos tener metas y comprometernos con ellas. Las metas son objetivos que nos gustaría alcanzar, sin embargo, los compromisos son cosas que tenemos que alcanzar. En una entrevista con Simon en mi programa de radio XM, él dijo: "Willie, tu has estado casado durante más de 20 años. Cuando te casaste, ¿te fijaste la meta de mantenerte casado o hiciste un compromiso? Yo creo que la razón por la que has estado casado por más de 20 años consiste en que hiciste el compromiso de permanecer casado, en vez de establecer la meta de estar casado". Y, ¿saben una cosa? Simon tiene razón.

Entonces, fijamos metas para lograr aquello que nos gustaría alcanzar, pero hacemos compromisos para lograr lo que nos proponemos alcanzar. ¿Cuáles son sus metas y cuáles son sus compromisos? Lo invito a que se detenga ahora mismo, escriba una lista de 10 cosas que le gustaría alcanzar, empiece escribiendo en la parte superior de la página el encabezado: "Metas que quiero alcanzar"; luego, redacte 10 cosas que usted se compromete a alcanzar, escriba el encabezado: "Compromisos: Lo que me propongo lograr". Lo animo a que empiece a trabajar en ello desde ahora mismo.

¿QUÉ TAN EN SERIO DESEA USTED ALCANZAR SUS METAS?

Con el transcurso de los años me he dedicado a analizar el impacto que tiene el deseo cuando de alcanzar las metas se trata y en la importancia de preguntarse a sí mismo: "¿Qué tan en serio deseo alcanzar mi meta?". El deseo es un elemento fundamental en la búsqueda del éxito porque es lo que realmente lo mantiene a uno en dirección hacia la consecución de las metas.

Imagine que usted regresa después de un buen día de trabajo y encuentra que en su casa no hay absolutamente nada para comer. ¿Qué haría usted? La mayoría de las personas harían lo siguiente:

- Ir a un supermercado a comprar alimentos.

- Ir a un restaurante de comidas rápidas.

- Ir a una tienda de víveres.

- Ir a la casa de un amigo.

Adicionalmente, en respuesta a estas opciones imagine lo siguiente...

- El almacén está cerrado.

- El restaurante de comidas rápidas tuvo un problema con la electricidad y no tiene comida para ofrecer.

- La tienda de víveres no recibió su pedido de alimentos hoy.

- Su amigo no está en casa.

¿Qué va a hacer usted ante esa situación?, ¿intentar con otro restaurante o ir a la casa de otro amigo? Ahora bien, ¿notó usted que no dijo que se iba a dar por vencido?, ¿por qué? Porque cuando uno realmente tiene hambre ¡ni siquiera piensa en darse por vencido!

Con frecuencia, comparto con mis audiencias la analogía de "la bebida cola a media noche". Uno necesita gran determinación y deseo para conseguir una bebida cola a la media noche si eso es, en realidad, lo que desea. Muchas personas dirían que "realmente la quieren", pero la pregunta definitiva es ¿cuánto es "realmente" para usted?

Imagine que una persona se despierta a media noche y dice: "Quiero una bebida gaseosa y ¡la quiero de verdad!". Esa persona se levanta, va al refrigerador, pero no encuentra ninguna bebida gaseosa; luego, va a la ventana, mira por la persiana y ve que está lloviendo; entonces, regresa al refrigerador, no encuentra bebidas gaseosas pero se conforma con un vaso de agua y se va de nuevo a dormir, porque "realmente" no quería esa bebida.

Una segunda persona se levanta a media noche y dice: "Quiero una bebida cola y ¡la quiero de verdad!". La persona se levanta, va al refrigerador, pero no encuentra sodas. Esta persona va a la ventana, abre la persiana y nota que está lloviendo; entonces, regresa al refrigerador, no encuentra bebidas gaseosas y decide ponerse un abrigo, guantes, botas y se dirige a la tienda de la esquina. Cuando llega al lugar, nota que la tienda está cerrada; así que regresa de nuevo a casa, se conforma con un vaso de jugo de naranja y otra vez se va a dormir. Esa segunda persona no deseaba "realmente" conseguir la bebida cola.

Una tercera persona se despierta a media noche y dice: "Quiero una bebida cola y ¡la quiero de verdad!" Esa persona se levanta, va al refrigerador, no encuentra bebidas colas. Entonces se va a la ventana, abre la persiana y ve que está lloviendo. Esta persona revisa el refrigerador una vez más y, aunque no encuentra bebidas colas, se pone el abrigo, los guantes, las botas y va a la tienda de la esquina. Pero la tienda está cerrada. Así que esta tercera persona camina varias manzanas y va hasta una tienda que atiende las 24 horas, pero debido a la lluvia también está cerrada. La persona camina media milla para llegar a una gasolinera, pero las bebidas colas ya se agotaron; así que decide ir caminando e intentando, caminando e intentando, hasta que consigue la bebida gaseosa. Esa persona "realmente" deseaba la bebida y estuvo dispuesta a ir hasta donde fuera necesario para conseguirla.

En uno de mis programas radiales mencioné esa analogía, entonces el presentador de la radio se detuvo por unos segundos para decir: "Willie Jolley, ¡esta es la cosa más ridícula que he escuchado en mi vida!, ¿quién va a irse en medio de la lluvia a buscar una bebida gaseosa? ¡Eso es absolutamente ridículo!"

Entonces, le contesté: "Sí, tienes toda la razón, ¡Eso *es* ridículo!" Pues mira, he descubierto que sólo aquellas personas que intentan hacer lo que es ridículo son las que consiguen lo que es espectacular.

Por ejemplo, a Oprah Winfrey se le dijo que era ridículo que una mujer de orígenes humildes pensara en llegar a convertirse alguna vez en una personalidad notable de la televisión. Pero ella intentó lo ridículo y logró lo espectacular. El *Show de Oprah Winfrey* ha continuado siendo el programa televisivo número uno durante 22 temporadas consecutivas. Por su parte, Bill Gates dejó de asistir a la universidad de Harvard. Cuando dijo que deseaba que llegara el día en que pudiera ver, en todas partes, computadores operando con el *software* que él escribiera, se le dijo que eso era ridículo; sin embargo, en la actualidad él es el hombre más rico del mundo. Él estuvo dispuesto a intentar lo ridículo y a alcanzar lo espectacular, así logró hacer que la computación resultara fácil y accesible para todos los consumidores.

De lo anterior podemos concluir que el deseo es la disposición de continuar adelante a pesar de las dificultades, tiene que ver con estar dispuesto a hacer lo que otros consideran ridículo con el fin de alcanzar las metas. Se ha de tener el apetito de ganador. ¿Cuánto desea usted, en realidad, alcanzar sus metas?, ¿cuánto, en realidad, desea *ganar*?

Para lograr ganar, usted deberá pensar lo que es ridículo y atrevido. Luego, deberá tener el valor de ir tras sus metas y sueños. Así podrá alcanzar una vida cinco estrellas.

¿QUÉ TAN DECIDIDO ES USTED?

Hace poco recibí una llamada de un viejo amigo de la época cuando cantaba en el club. Me decía que había leído acerca de mi inscripción en el Salón de la Fama de los conferencistas sobre motivación y que me había visto en televisión, de modo que quería saber lo que había hecho para cambiar mi vida. Yo le dije que había decidido cambiar, como Jim Rohn lo dice: "Una vez cambias, ¡todo cambia para ti!". Yo le dije que había hecho el compromiso de crecer y de ampliar mi forma de pensar e hice un curso de autodesarrollo, me comprometí a leer libros positivos, a escuchar audiolibros sobre motivación, y asistí a muchos seminarios sobre el tema.

En pocas palabras, le dije que había decidido "ir en serio" con respecto a mi éxito. Preparé mi mente en relación con hacer todo lo necesario para alcanzar el éxito. Recuerdo que en una ocasión Les Brown me dijo que la gente "no va en serio con respecto a ir en serio sobre su propio éxito", dijo que la gente habla de eso todo el tiempo, una y otra vez, pero en realidad, no hacen algo para lograrlo.

Basándome en las palabras de Les, preparé mi mente para ir en serio. Hice el compromiso de levantarme más temprano y de irme a dormir más tarde, de leer todo lo que más pudiera sobre autodesarrollo, así que apagué el televisor e invertí bastante en libros y grabaciones de audio, hice el compromiso de hablar por teléfono y hacer más llamadas, utilizaba el teléfono temprano en las mañanas y continuaba hasta tarde en la noche. Cuando me sentía cansado y quería parar, siempre hacía una llamada más. Me comprometí diariamente con hacer más de lo que se me pagaba por hacer, de dar más de lo que se esperaba que diera, y de ir más allá de lo que se solicitara de mí.

Mi amigo entonces me preguntó sobre aquello que hago todos los días con el fin de lograr mis metas. Yo le respondí que cada día lo empiezo de la misma manera: Con oración y meditación, le doy gracias a Dios por cada nuevo día que puedo estar vivo, y digo con orgullo: "¡Este es el día que el Señor ha hecho para que yo me regocije en él!". Tengo una actitud de gratitud porque cuento con otra oportunidad de ir y vivir mi sueño.

En segundo lugar, él me preguntó: "Willie, ¿qué harías hoy para demostrar que vas en serio?" Me hago esa pregunta y entonces hago una lista de todas las posibles respuestas.

Y en tercer lugar, reviso la lista y me ocupo en alcanzar mis metas.

Le dije a mi amigo que todo esto no es un asunto complicado, pero que había hecho un doctorado en persistencia, deseo y determinación. En principio, todo tiene que ver con el compromiso que nosotros hagamos con respecto a desarrollarnos y forjar nuestro futuro. Luego debemos hace un compromiso con ese compromiso. En otras palabras, tenemos que ir en serio en el asunto de trabajar por nuestros sueños. La pregunta que quiero hacerle hoy a usted es: "¿Qué haría usted hoy si realmente fuera en serio?"

CONCLUSIÓN

De modo que estos son los pasos sencillos que doy para alcanzar el éxito, los mismos pasos con que se desarrolla una voluntad ganadora y una Actitud de Excelencia. Estos son los pasos esenciales para crear una organización y un estilo de vida cinco estrellas. Muchas personas desean tener un estilo de vida cinco estrellas y, sin embargo, continúan esperando a que su barco de oportunidades venga, esperan a ganarse un premio de la lotería o recibir alguna herencia jugosa; pero pasan por alto que pueden lograr todo lo que desean ahora mismo. En tan solo un minuto usted puede tomar la decisión de ir en una nueva dirección y dar los pasos necesarios para ir en pos del éxito. Lo animo a aplicar estos pasos desde hoy mismo. No se demore en tomar la decisión. ¡Inicie hoy!

Por tanto, la vida cinco estrellas no es sólo para las estrellas de cine o para los ricos y famosos: es para todas las personas que decidan crecer y transformar su futuro. Recuerde, la mejor forma de transformar el futuro es transformándose uno mismo, y la mejor forma de transformar su organización es haciendo que su personal crezca. Las organizaciones cinco estrellas siempre están intentando contratar, adquirir y hacer lo que sea necesario para tener al mejor personal con ellas. Ahora bien, si no pueden contratar al mejor personal, entonces lo producen. Hágase el compromiso de empezar a trabajar por sus sueños y de ir en pos de un estilo de vida cinco estrellas.

El éxito es un juego, juegue bien ese juego para poder ganar. Esa es una filosofía que he incorporado en mi vida y que ha tenido un efecto profundo en mi forma de pensar y en mis acciones. Quiero invitarlo a vivir una vida llena de vigor y pasión, y a disfrutarla al máximo.

Con frecuencia escucho a los deportistas afirmar que lo están dando todo en la meta de ganar el juego y que dejan sus mejores esfuerzos en el campo de juego. Se dice que Michael Jordan lo daba todo en el campo de juego, tanto que le quedaban muy pocas energías para ir hasta el camerino. En una ocasión jugó mientras sufría un resfriado y luego de un esfuerzo supremo, que significó hacer la cesta ganadora, Michael tuvo que ser sacado de la cancha. Con casos como estos he podido establecer que los grandes personajes en otros campos se han regido por la misma filosofía, ellos consideran que es importante dar su todo en la búsqueda de la excelencia, y que deben hacer su máximo esfuerzo en su propio terreno de juego. Juegan lo mejor posible y dan su mejor parte para alcanzar la realización de sus sueños.

Otro asunto que me gusta decirle a las audiencias es que considero que debemos vivir a plenitud y morir vacíos, dando nuestra mejor parte mientras estemos vivos. Mi amigo Myles Munroe dice que el lugar de mayor riqueza en la tierra es la tumba. Es allí donde la gente lleva ideas y sueños que pueden valer millones de dólares, pero que no aprovecharon cuando estaban vivos. Él llama a esto "la vergüenza al morir." Mi mentora Rosita Pérez dice que para asegurarnos de no llevarnos nuestra música a la tumba, debemos crear una vida que sea una sinfonía. Vivamos nuestra vida al máximo de su plenitud, y cuando nuestro momento llegue, podremos irnos con la seguridad de que hicimos nuestra mejor parte en el tiempo que se nos dio para realizarlo.

Creo que uno de los mejores regalos que nos ha dado Dios es la vida, y nuestro regalo a él es cómo vivimos nuestras vidas. Lo que hacemos y damos a otros hace la diferencia en el mundo. Nos corresponde a cada uno de nosotros descubrir nuestras posibilidades y desarrollarlas al máximo. Antes solía decir que deberíamos vivir de acuerdo con nuestro potencial, pero ahora creo que eso no es suficiente porque una vez que uno se involucra y se energiza, puede aumentar el grado de potencialidades que tiene. Podemos aprender a jugar el juego muy por encima de lo que consideramos que es nuestro potencial. Creo que podemos lograr resultados increíbles si pensamos que lo podemos lograr, y entonces vamos y empezamos a trabajar en transformar esas metas.

¡LO MEJOR AUN ESTÁ POR VENIR!

Hace años tuve una experiencia que produjo un enorme impacto en mi forma de pensar y en mis acciones, es algo que hasta el presente continúa fortaleciéndome. Yo era un conferencista nuevo y estaba intentando salir adelante con mi negocio, estaba tratando de conservar mi línea telefónica e impedir que me cortaran el servicio de electricidad. Fue un tiempo difícil. Esperaba que alguien me llamara y contratara mis servicios para poder pagar mis facturas. Finalmente, recibí una llamada de una organización en Orlando, Florida, que me contrató para que les dictara una conferencia. Estaba tan emocionado con la idea de que iba a poder continuar, que no cabía dentro de mí.

Entonces, fui a Florida y di el discurso. Al finalizar recibí una estridente ovación. Me sentía en la gloria. Recibí mi cheque y hasta me obsequiaron un pequeño bono adicional por hacer bien mi trabajo. Me subí en el avión de regreso lleno de entusiasmo porque había recibido el dinero; pero entonces me puse a pensar en todas mis facturas y gastos, y entonces noté que el dinero ya estaba comprometido, lograba cumplir con los compromisos pero no me quedaba nada adicional. De repente, me sentí triste porque ya había gastado ese dinero sin siquiera haberlo recibido.

Mientras estaba sentado allí, con ese sabor a melancolía, empecé a hablar con un hombre de edad en el pasillo. Él debió haberse dado cuenta que yo estaba pasando por un mal momento, y durante la conversación me hizo una pregunta que tuvo un impacto profundo en mí, él dijo: "Muchacho, ¿qué edad cree usted que tengo?"

Yo lo miré y le dije: "Creo que usted debe estar alrededor de los sesenta".

El hombre sonrió, se quitó sus gafas, me miró directo a los ojos y dijo: "Muchacho, yo viajo alrededor del mundo, doy charlas sobre salud y prosperidad, y lo hago todos los días. Quiero que sepa que tengo ochenta y ocho años de edad, y que lo mejor todavía está por venir".

En ese momento, ¡todo cambió para mí! Si un hombre de ochenta y ocho años podía ver que sus mejores días estaban delante suyo y no atrás, ¿por qué tenía yo que sufrir y lamentarme? Si un hombre de ochenta y ocho años de edad podía demostrar tal optimismo, ¿qué me impedía a mí alcanzar el éxito? La respuesta estaba en que el problema era yo, que estaba esperando que el éxito viniera a mí en vez de ir y crearlo yo mismo. El problema era que yo tenía que cambiar mi forma de pensar para que mi actitud y mis acciones cambiaran. En vez de esperar a que los clientes me llamaran, necesitaba llamarlos a ellos. En vez de esperar a que Dios arrojara sus dádivas en mi regazo, yo necesitaba emprender la acción y mover mi regazo donde Dios estaba arrojando bendiciones. Ese día, cuando bajé del avión, fui un hombre nuevo.

Llegué a casa con una nueva actitud y un optimismo renovado. Tomé el teléfono, empecé a hacer llamadas promocionales y las cosas empezaron a cambiar. Ese hombre de mayor edad tenía toda la razón, ¡lo mejor estaba aún por venir!

Ya han pasado varios años desde que aquel hombre me dio esas palabras de ánimo. Ya han pasado muchas cosas desde entonces, entre ellas, he logrado tener éxito como conferencista, como autor, en la radio y en la televisión y, sin embargo, considero que todo esto es la punta del iceberg de todo lo que es posible alcanzar. En verdad creo que ¡lo mejor está por venir!

Resumiendo lo antes dicho en este libro, quiero recordar que hemos avanzado mucho. En la primera parte del mismo, "La voluntad de ganar: Cómo desarrollar una cultura de excelencia", hablamos sobre cómo desarrollar el líder que reside dentro de nosotros, también acerca de ver el cambio como un aliado y no como un enemigo, de cómo un equipo debe trabajar y pensar como tal para poder ganar como equipo. De igual modo, consideramos que ofrecer servicio al cliente significa ir más allá de lo que es bueno y de lo que es excelente: Hablamos de *descrestar* al cliente y de cuán crítico es el asunto de la actitud en todo este proceso.

En la segunda parte de este libro, "Desarrollo personal: Cinco pasos sencillos para lograr un éxito de cinco estrellas", hablamos sobre *despertarnos y soñar*, y de considerar las posibilidades, no las probabilidades; también tratamos el asunto de *mostrarnos* y de dar más de lo que se espera que demos, entendimos que si uno hace más de aquello para lo cual se le paga, con el tiempo obtendrá un salario más alto del que recibe. Hablamos de cómo uno debe *ponerse de pie* y enfrentar los desafíos de la vida con la determinación que le permita crecer y hacer que su éxito crezca. Del mismo modo mencionamos que uno debe caminar hasta el campo de juego y, una vez allí, hacer su mejor esfuerzo. Dijimos que debemos intentar sacar la bola fuera de la cancha, y no permitir que el fracaso nos detenga. Al final, nos referimos a las bondades de *anticiparnos* y acerca de *preparar nuestra mente* para ganar, como también sobre pensar de forma anticipada incluso en los tiempos difíciles. Le animo a que conserve su confianza y que mantenga una actitud positiva, ¡la actitud del *ganador*!

He escrito estos puntos porque tengo un secreto: *¡LO MEJOR PARA USTED TODAVÍA ESTÁ POR VENIR!* Los aspectos que hemos considerado en este libro son las señales de tránsito que lo guiarán al lugar donde usted se podrá convertir en lo mejor que pueda llegar a ser. Tengo muchas expectativas con respecto a usted y espero poder escuchar sobre las cosas impresionantes que ocurran en su vida. Cuando pienso retrospectivamente en el hombre de ochenta y ocho años que me animó y me dijo que lo mejor estaba aún por venir si yo creía y trabajaba por convertirme en lo mejor que pudiera llegar a ser, me gustaría poder encontrarlo y expresarle lo mucho que significaron para mí sus palabras. Espero algún día poder conocerlo a usted y que pueda contarme que las palabras de este hombre le han ayudado de la misma manera como me han ayudado a mí. Mientras tanto, viva su vida con pasión y comparta esta información con otras personas. Hágales saber que sin importar dónde se encuentren en las circunstancias presentes, ¡lo mejor todavía está por venir! ¡Que Dios los bendiga a todos!

RECONOCIMIENTOS

Quiero agradecer a mi esposa, Dee Taylor–Jolley, por sus esfuerzos en ayudarme a mantenerme enfocado de modo que este libro pudiera hacerse realidad; a mi gerente de mercadeo, Cheryl Ragin, por sus gestiones para hacer que este manuscrito estuviera listo para impresión.

Del mismo modo, quiero expresar mi gratitud a quienes han servido como lectores y promotores de este proyecto, en especial a Bill y Biddy Clark, así como a Nina y Brian Taylor, a Linda O'Doughda y a Carlene Reid por su edición y por su sinceridad; a los miembros del grupo de mi mente maestra, Bill Cates, Steven Gaffney, Suzi Pomerantz, y Zemira Jones por su franca retroalimentación y por la experiencia compartida; también a Jeff Jeff Kleinman, Wendy Keller, y a Jeff Herman por su asesoría literaria; a Jeanette Boudreau y a Elaine English por las sabias recomendaciones sobre aspectos legales; a Ed Albert y a su equipo en Flow Motion por las reediciones de este libro; a todos mis radio escuchas en XM Radio Show y a mis amigos en la Asociación Nacional de Conferencistas por sus ideas y consejo. A todos ustedes les estaré agradecido profundamente por siempre. ¡Los aprecio!

También gracias a ti Fred Johnson y Deacon Stanley Featherstone por ayudarme a formular las ideas de este libro y por solicitarme ayuda para desarrollar el "First Touch Leadership Professional Development Program" en la iglesia bautista de Glenarden, Glenarden, MD, y a todas las iglesias y grupos corporativos que me han invitado a pronunciar discursos sobre "La Actitud de Excelencia". Todas estas sesiones han tenido un gran impacto en ayudarme a solidificar los principales puntos de este libro.

Además, deseo extender un agradecimiento especial al doctor Stephen Covey por su bondad y estímulo cuando finalizaba los conceptos de este libro.

Y a todos los maravillosos amigos de Greenleaf Book Group por su extraordinario trabajo para hacer que este proyecto se completara con una "actitud de excelencia", y quiero dar las gracias especialmente a mi amigo Clint Greenleaf por ir mucho más allá del sentido del deber y por ayudarme a hacer posible la impresión de este libro.

Por último, y no por ello menos importante, quiero agradecer a mi Amigo y a mi Padre, a mi Mentor y a mi Maestro, a mi Roca y Redentor, a mi Luz y a mi Señor, mi Fuente y mi Salvación. Muchos lo consideran a él simplemente como el carpintero de Galilea, pero yo lo considero mi mejor amigo. ¡Su nombre es Jesús! Y le doy la gloria por permitirme escribir este libro y ver sus frutos.